E • S • P • A • Ç • O
VIDA & CONSCIÊNCIA

♥ Um espaço é um lugar limitado
para experimentar ser ilimitado.
Um espaço de vida é uma chance
de ampliar suas vivências.
Num espaço de Vida e Consciência. ♥

Carlota
continue vibrando
com esta luz interior
intensa, gosto de você.
Feliz Aniversário
Osmar
06/09/2003

"se ligue" em VOCÊ

Gasparetto

Projeto e Coordenação:
Luiz Antonio Gasparetto

Edição e Revisão:
Ana Maria Littiéri

Capa e Produção Gráfica:
Kátia Cabello

11ª edição
Abril • 1999
10.000 exemplares

Publicação e Distribuição:
CENTRO DE ESTUDOS
VIDA & CONSCIÊNCIA EDITORA LTDA.

Impressão e Acabamento:
Depto Gráfico do
CENTRO DE ESTUDOS
VIDA & CONSCIÊNCIA EDITORA LTDA.

Rua Santo Irineu, 170
Saúde • CEP 04127-120
São Paulo • S.P. • Brasil
F.: (011) 574-5688 • (011) 549-8344
FAX: (011) 571-9870 • (011) 575-4378

Agradecimentos

♥ Nenhuma obra se faz sozinho.
Quando se pensa estar solitário,
Deus se faz presente na inspiração.
Agradeço a Maria Silvia Eustáquio
e a Ana Maria Littieri
pelo carinho e dedicação,
tornando este livro uma
expressão viva do nosso pensamento. ♥

Gasparetto

SUMÁRIO

Segunda Parte

Terceira Parte

O PODER DE PENSAR 73

Introdução

♥ *Para mim este é um momento especial por três motivos: primeiro, porque a sua trajetória na vida possibilitou este nosso encontro; segundo, porque estou concretizando um antigo projeto que há muito tempo me desafiava: o de escrever sobre os meus conhecimentos; e terceiro, porque a minha intenção, ao levar até você as minhas idéias, é de ser um facilitador no desenvolvimento do conhecimento sobre si mesmo para que você se auto-ajude e seja seu próprio terapeuta.*

Através das informações contidas nestas páginas, vou estar conversando com você sobre as minhas pesquisas e experiências ao longo de 30 anos nas áreas do com-

portamento, filosofia, metafísica e mediunidade. Quero que você perceba o lado prático do conhecimento universal para aplicação imediata na vida diária.

O objetivo é que você se conheça melhor, conheça mais sobre o seu mundo interior. Por quê? Porque nós sempre fomos educados para conviver com o mundo exterior que é, sem dúvida, importante, mas o seu mundo interior – o das sensações, emoções e sentimentos – também é e, na maioria das vezes, está abandonado.

Quanto mais conhecimento você adquire acerca do seu mundo interior, mais condições possui para melhorar a sua capacidade de interferência na vida, obtendo cada vez mais realizações. A vida é um tabuleiro de xadrez onde você faz o papel das peças e, por mais complexo que seja o jogo, só pode aprender jogando.

Agora quero que você conheça um pouco de mim. Nasci numa família espírita. Fui criado no Kardecismo e aprendi muito convivendo com estudiosos da vida espiritual. Guardo ainda comigo uma série de conhecimentos e experiências relevantes. Aos 13 anos, minha mediunidade aflorou, e os espíritos dos pintores famosos que já viveram na Terra, passaram a executar seus trabalhos por meu intermédio. Este fenômeno de pintura mediúnica é chamado de psicopictoriografia.

Querendo me aprofundar na compreensão do ser humano, cursei Psicologia e, posteriormente, fui estudar nos Estados Unidos onde convivi com as idéias da Nova Era. Este é um movimento voltado para o desenvolvimento interior do homem e é integrado por pessoas que acreditam na possibilidade de criar uma humanidade verdadeiramente mais feliz.

O fenômeno da mediunidade levou-me a conhecer

personalidades importantes da nossa época como físicos nucleares, Prêmios Nobel, grandes psicólogos e pesquisadores de vanguarda com os quais pude conviver e estudar. Nesta época, tive a oportunidade de desenvolver meus estudos como terapeuta e pesquisador do ser humano.

Afinal, quem sou eu? Como me posiciono hoje? Para ser sincero, só há uma maneira de responder: eu sou só ***eu****, sem rótulos. Qualquer rótulo não me é adequado, porque se eu tiver um, como o de psicólogo ou de espírita, você já estabelece na sua cabeça uma imagem bem particular do que vem a ser um psicólogo ou um espírita, e isto não vai lhe dizer muito do que* ***eu realmente sou****, do que* ***eu sinto****, do que* ***eu faço****. Posso dizer que não sou vinculado a nenhuma crença religiosa, não estou formando nenhum secto, não sou sacerdote e nem pretendo ser. O que quero mesmo é que você entre em contato com meu trabalho e, através dele, perceba as idéias e atitudes que têm me ajudado e a uma centena de pessoas e que, talvez, poderão auxiliá-lo.*

Essa situação de liberdade é muito importante, porque através dela consigo estar amplo e solto para experimentar de tudo, tendo em mente o que efetivamente melhore minha qualidade de vida.

O que posso dizer é que sou alguém chamando a sua atenção para os tesouros que existem no seu interior; sou talvez o amigo que lhe dá ferramentas úteis para você enxergar dentro de si; um amigo que torce por você e sabe que quanto mais você melhorar, mais próspero o ambiente se tornará para todos usufruírem dele. Nada do que digo me pertence, embora tenha minha forma particular de dizer. O conhecimento pertence a todos. É a prática que prova a veracidade das idéias. Acredito que todo real pro-

blema que alguém possa ter, reside no fato de não saber usar as ferramentas que a natureza lhe deu. Não existem defeitos no homem. O que existe é ignorância em usar os próprios atributos.

Acredito que se alguém pode fazer algo por você, ***é você mesmo*** *e que a minha ou qualquer outra ajuda pode ser fundamental, mas nunca definitiva.*

A minha idéia é armá-lo de recursos para que você seja o seu próprio instrutor e se auto-ajude, optando por educar-se pela inteligência, deixando de lado o aprendizado pela dor.

Seja inteligente. Desenvolva o seu próprio mestre interior.

Estudaremos a Vida e a Consciência, porque é imprescindível que sua consciência, sua atenção, esteja cada vez mais voltada para o fluxo da vida, retirando dela verdadeiros benefícios. A vida é a seqüência consciencial das sensações do aqui e agora. Vida é um processo contínuo, uma mudança constante. Se você observar a natureza, verá as mudanças acontecendo a todo instante. Você é a natureza. Você está num processo de mudança, num ***continuum****.*

A vida é experiência, é aprendizado, e quanto mais você tornar-se apto a dirigi-la, seguindo a ordem natural das coisas, mais sucesso ela lhe trará.

Consciência é o fenômeno da atenção. Quanto mais lúcida e clara ela estiver, mais você conhecerá suas reais habilidades e limitações. Assim, você não se deixará impressionar por muitas coisas que hoje, talvez, o impressionem, causando mágoa, raiva, dor e culpa. A consciência lúcida é a percepção das coisas com clareza e profundidade. Será que o modo como você percebe as coisas é verdadeiramente a realidade?

Você é o grande laboratório e arquiteto da sua vida. Nela, só você pode saber o que é verdade ou não, o que serve ou não, o que realmente acontece com você.

Estudar esses assuntos pode ser um processo de mudança, muitas vezes, radical da sua experiência. Não é meu interesse cavocar feridas e traumas de infância e nem de vidas passadas, não quero dar valor ao lixo que você acumulou, mas valorizar e ampliar suas aptidões e virtudes, favorecendo a auto-ajuda.

Acredito realmente que este livro trará para você uma visão inteiramente nova do seu processo, mais segurança e confiança em si, ensinando-o a crer na sua fonte de vida interior.

E, então, você está pronto para começar? Está? Ótimo. Convido-o a mergulhar em você e a iniciar uma viagem fascinante, descobrindo os mistérios do seu mundo interno. Mãos à obra. ♥

GASPARETTO

Primeira Parte

JULGAR E DISCERNIR

♥ *Dar valor ao que se sente é criar segurança.* ♥

♥ *Se alguém pode fazer algo por você, é você mesmo.* ♥

Você está disposto a se conhecer melhor ?

♥ Você tem facilidade para expressar seus sentimentos? Você tem o hábito de mostrar seu contentamento ou desagrado para com os outros? Você sempre faz o que quer? Você está ligado nas suas sensações? Quero que você se dê um tempo para refletir e responder a essas questões.

Você, provavelmente, pode ter concluído que:

• nem sempre é possível, ou mesmo vantajoso, mostrar seus sentimentos...

• em inúmeras ocasiões, você fez coisas que não queria fazer e as que realmente queria foram deixadas de lado...

• nesse mundo agitado, não há tempo a perder com sensações, sentimentos, ou seja, não há tempo para *se perceber...*

Raramente nos damos um tempo para refletir sobre nós mesmos. Parece egoísmo pensar em nós quando há tantos problemas ao nosso redor.

Desde crianças, fomos condicionados a não expressar nossos sentimentos, a não nos mostrarmos para os outros, principalmente quando estes agiam de forma que nos desagradava. A nossa educação sempre esteve voltada para os outros, para atender e satisfazer *aos outros*, para sermos bons com *os outros*. E com isso o "eu mesmo", o "mim mesmo", foi ficando abandonado e cada vez mais para trás. Ainda hoje, as pessoas que tentam agir centradas em si mesmas são julgadas como egoístas.

As frases que mais ouvimos, quando pequenos, eram do tipo:

- seja bonzinho.
- criança não tem querer. Só obedece.
- não maltrate os seus irmãos.
- "papai do céu" não gosta de criança malcriada.
- não responda aos mais velhos.

E como bons meninos e meninas, fomos aprendendo

que mostrar sinceramente os nossos sentimentos significava risco, ou seja, o perigo de sermos rejeitados, desprezados, de não contarmos mais com a aprovação dos nossos pais, a dos outros e, principalmente, de Deus. Assim aprendemos a ser bonzinhos e a nos submetermos à autoridade externa. Fomos nos escondendo dos outros e, o que é pior, de nós mesmos. Deixamos de dar importância às nossas sensações, sentimentos e emoções e as engavetamos em alguma parte do nosso corpo. E para conviver com os outros, fomos criando tipos, distorcendo a nossa imagem real e o nosso sentir para obter a consideração *dos outros* e sermos aceitos pelo ambiente que nos cercava. Sufocamos nossas reais motivações e verdadeiras vocações, destruindo assim o nosso senso de vida e as razões de existir.

E será que valeu a pena? Será que vale a pena agir sem sentir? Será que vale fazer coisas só para obter a aprovação alheia e com isso bloquear o sentir? Dê-se um tempo para responder essas questões.

Na sua vida toda, os outros têm estado a lhe dizer quem você é, o que precisa fazer, o que deve evitar, qual o melhor jeito para obter o que quer, o que vestir, o que comer. Primeiro são os pais, depois a escola, a religião e finalmente o governo. E você, de tanto ouvir, também vive a se dizer o que deve ou não fazer, enchendo-se de culpa, condenação e menosprezo quando faz algo que não traz a aprovação dos outros. Será que os outros estão sempre realmente certos?

Mas você pode mudar essa situação se quiser, não é? Como você pode se ajudar para retomar a posse do seu sentir e assumir-se com suas habilidades e limitações? Você está realmente disposto a se conhecer melhor? Está? Pois bem, o ponto de mudança está no *agora*. Vamos começar a trabalhar? Dê-se uma chance de conhecer mais sobre si mesmo. ♥

Auto-ajuda

♥ O processo de auto-ajuda consiste no contato, no tato, na experimentação e na observação daquilo que *você sente*, para aprender a lidar com as coisas que se passam *em você* e não nos outros.

Ajudar-se é conhecer-se, ou seja; observar a seqüência de sensações que fluem em você. Neste tipo de aprendizado, não adianta ficar somente no campo intelectual, no racional. Intelectualizar é importante para questões práticas da vida diária, mas *sentir* é imprescindível quando lidamos com questões existenciais do tipo "quem sou eu", "o que é melhor para mim agora". Muitas pessoas pensam que conhecer-se é analisar-se, porém a atividade mental de análise consiste em usar o raciocínio enquanto se está fora da situação vivida, seja em relação ao tempo, quando a ação observada está no passado, seja no agora em que o raciocínio atrapalha a coleta de dados da observação, pois nossa atenção está mais no intelecto do que nas *sensações* vivenciadas. Viver só nas sensações é retornar à vida animal, como também viver só no intelecto é perder o senso da realidade. ***O ideal é observarmos o que sentimos enquanto a inteligência trabalha em nós.***

Observar-se é prestar atenção ao que se sente. O que se sente não é estático. Se observarmos bem, veremos que as sensações são contínuas e ocorrem num fluxo ininterrupto. Então, quando peço que você se observe, na verdade, quero que observe o fluxo contínuo de suas sensações que ocorrem no aqui e no agora. Só no agora, quando tudo está acontecendo, é que suas observações podem ser realmente mais precisas.

Neste primeiro contato com você, a minha sugestão é: olhe para si, observe-se agora. Assim, o sentir torna-se mais intenso e, portanto, a vida se torna mais *viva*. Para realizar bem essa observação, é importante que você se desligue de tudo e se ligue só em você.

Para entender melhor isso, vamos fazer um exercício.

Nota: Toda vez que você encontrar as reticências, dê-se um tempo para fazer o que sugiro e, em seguida, volte ao texto. Se você preferir ler o texto sem fazer os exercícios, terá a chance de captar apenas 10% do que quero dizer. Portanto, contenha a ansiedade e faça deste livro um alimento para seu espírito.

Observe seu corpo.
Como ele está?... Defina-o para você...
Como você se sente?... Deixe claro para você: eu me sinto...
Você está tranqüilo, agitado, nervoso, relaxado ou o quê?...
O seu corpo é a sua parte mais periférica e a que recebe bilhões de sensações por minuto. Permita-se sentir as sensações que você está recebendo agora...
E o seu pensamento aonde vai?...
Eu gostaria que você serenasse a mente.
Deixe os pensamentos afluírem na mente e não faça força para retê-los...
Agora dentro de você e só com você, pergunte-se:
Como eu estou?
E comece a responder a pergunta com:
Eu vejo que estou emocionalmente... (continue a frase como se você estivesse se mostrando para alguém).
Agora, como se estivesse conversando comigo, diga o que percebeu, o que observou ao estar com você e como se sentiu...

Veja se você se encaixa nesta lista:
- estou com problemas.
- estou preocupado com o futuro.
- estou neutro.
- estou vazio.
- estou perdido.
- estou nervoso.
- estou chateado.

- estou me sentindo rejeitado.
- tenho dificuldade para sentir.
- estou excitado.
- estou com raiva.
- outros... ♥

Sendo mais específico

♥ Agora, com relação à lista acima, vou dar algumas sugestões que podem tornar as suas observações mais específicas.

Para você, o que significa estar **preocupado**:

- temer que alguma coisa que você imagina, venha acontecer no futuro.
- desconfiar da sua capacidade de fazer algo, ou seja, estar inseguro.
- estar aflito por temer que os outros não agirão da maneira que você espera.
- desejar prevenir-se contra possíveis catástrofes com você ou com as pessoas que ama.

Se você se percebeu preocupado, tente agora ser mais específico...

Pode ser que você observou estar **nervoso** e, talvez, queira dizer que:

- está ansioso, porque está procurando controlar o futuro, na sua imaginação, isto é, está vivendo no daqui a pouco.
- está contrariado, porque as coisas não estão andando como planejou.
- está pessimista, achando sempre que você não vai dar conta de tudo, que é o mesmo que estar inseguro.

Você pode ter se sentido **chateado**, e esse termo, talvez, queira dizer de uma forma mais específica que:

• está frustrado, porque algo não está como você imagina, e isso sempre traz um sentimento de impotência e raiva.

• está se sentindo humilhado ao perceber que você não pode ser o que a sua pretensão queria que fosse.

• está se sentindo desiludido e com a dor do sentimento de perda.

• está com raiva de sentir as dores da desilusão.

Usando o termo genérico **"estou excitado"**, você pode estar se referindo a várias experiências diferentes:

• está feliz com alguma conquista.

• sente-se corajoso diante de um novo desafio.

• está esperançoso na perspectiva de ganhar aprovação.

• está sexualmente interessado em alguém.

A excitação sempre ocorre mediante a iminência de uma situação considerada agradável.

Você também pode ter achado que está **com problemas**. E o que são problemas? São sempre as velhas coisas que você tem dentro de si, sempre o passado, aquilo que já foi um minuto atrás, mas você experimenta e revive *agora* em sua imaginação, criando angústia.

Quanto mais você tentar ser específico, mais consciente vai ficando do que acontece com você.

Quanto mais rápido você quiser encerrar o assunto e rotular suas experiências com termos genéricos, menor será a consciência de si mesmo.

Proponho agora um outro exercício, onde você terá a possibilidade de perceber-se ainda mais:

O que você mais gosta que os outros lhe façam?
Aponte três coisas:

1-...

2-...
3-...

Agora, com relação a essas três coisas, veja se você faz isso para si próprio.

Seja sincero. Ninguém está olhando. Procure não mentir para você.

Enumere três coisas que você mais detesta que os outros lhe façam:
1-...
2-...
3-...

Será que você não faz isso para si mesmo?...

Observe que as coisas que gostaria que os outros lhe fizessem, você não faz para si mesmo. É bem provável que você se trate tão mal quanto os outros lhe tratam. Não é fácil aceitar essa verdade, mas procure ser honesto com você. Você acha que os outros não lhe valorizam? E você? Dá valor a si mesmo? Você considera que os outros lhe enganam? E quantas vezes na vida você se enganou, se levou na conversa, fingindo que algo não lhe incomodava? Quantas vezes se encheu de falsas promessas do tipo: "Segunda-feira eu começo a ginástica"? Você detesta que os outros sejam autoritários com você? E você? Como faz quando quer impor a sua vontade?

Percebe que nós somos os primeiros a fazer essas coisas conosco? Eu não duvido se você também não faz isto com os outros, pois costumamos tratá-los como nós nos tratamos.

Muitas vezes, para sermos bem tratados, costumamos ser "bonzinhos" e fazemos coisas para os outros que não fazemos nem para nós. Com isto, pensamos que somos melhores do que realmente somos. Portanto, para se conhecer, é necessário uma boa dose de humildade. ♥

Eu acho que ...

♥ Agora vamos fazer um outro jogo. O jogo do como você "acha que é".

Procure definir quem você é começando sempre com a frase:

"Eu acho que eu sou"...

*Agora, continue a fazer o jogo do "eu acho que", mas observe como **é** estar dentro desta situação...*

Veja se as suas conclusões são parecidas com as minhas.

Quando uso "eu acho que", percebo que:

• fico inseguro, pois "achar" algo é dar uma opinião e opiniões são questões de crença e nunca de pesquisa.

• não tenho certeza de nada, pois o "eu acho que" é sinônimo de "eu imagino", "eu fantasio".

• eu fico só na cabeça, no mental, deixando todo o meu corpo, com suas impressões, de fora.

• eu fico impessoal, pois ao fantasiar algo sobre mim mesmo ou sobre alguém, estou evitando ver a realidade.

Muitas vezes, ficamos nesta de "eu acho que" na tentativa de nos escondermos. Assim nós não nos expomos ao julgamento dos outros. ♥

Julgamento

♥ Pois é, tudo isto quer dizer que você está apenas se julgando.

O que é julgar? É qualificar as suas atitudes e a dos outros, usando um quadro de valores. Estes valores são adquiridos de forma não vivencial. Ou seja, nós os acumulamos enquanto crescíamos, ouvindo os adultos e assimilando a mentalidade daqueles que nos cercavam. Aceitamos esses valores de forma tão sutil que nem percebemos como são cruéis ou mesmo inadequados para bem qualificar uma situação. Nesta qualificação, você dá um rótulo para si mesmo e para os outros. E rotular pessoas e situações é o mesmo que dar um veredicto de certo ou errado, condenar ou absolver, e tudo isso sem nem sequer ter a clareza e cuidados necessários para se obter a devida certeza.

Agora, talvez, você "ache" que não é o seu caso, pois você é uma pessoa cuidadosa e sem preconceitos. Porém, gostaria que refletisse e se observasse melhor.

Toda vez que você diz "eu acho", estabelece um julgamento a seu respeito, e este é o resultado do uso exclusivo da sua imaginação.

E o que mais podemos observar na postura do "eu acho"? Por exemplo, você fica seguro? Acredito que não, porque quem está se julgando, está usando a imaginação e não está com os pés no chão. No "achar", nós só deduzimos, derivamos e flutuamos. ♥

Quem muito "acha", está perdido

♥ Observe a postura corporal de uma pessoa que fala sempre "eu acho". Você vai perceber que a cabeça e os olhos estão sempre para cima, com um ar de quem está perdido e distante. Dá para notar que a pessoa está longe de você, não está íntima nem segura. E se ela não está próxima, não é confiável, ou seja, não dá para respeitá-la.

Procure reparar que na vida diária é comum fazermos o jogo social do "eu acho". Por exemplo, numa reunião social, duas pessoas estão conversando sobre a Maria e o diálogo é o seguinte:

– Eu *acho* a Maria muito esnobe.

– Você *acha*? Eu não *acho.* Eu *acho* que ela é tímida.

E se nesse momento entrasse mais uma pessoa, ela logo se "meteria" na conversa, dando sua opinião sobre a Maria.

Neste tipo de atitude do "eu acho", não há o menor respeito por si mesmo e pelo outro. Só existem operações mentais fúteis e inconseqüentes.

Há ainda uma outra coisa que costumamos fazer na mais pura inocência: orientarmo-nos na vida pelo "acho" dos outros. Um bom exemplo disso é quando perguntamos: "o que você acha da minha roupa?" A pessoa responde e nós, muitas vezes, agimos de acordo com o "achar" dela, ou seja, ela delira e nós entramos no delírio dela. O nome disso é confusão mental.

Quantas vezes na vida nós consultamos o *"achar"* dos outros e levamos a sério? E de tanto escutá-los, nós nos impressionamos tanto que acabamos criando em nossa mente um departamento chamado *"os outros"*. Este departamento fica dando palpites, sem parar, em tudo que fazemos. Com isto, ficamos na imaginação e perdemos o controle da realidade. Neste caso, acontece sempre o que gosto de chamar de "erro duplo". Primeiro, porque a orientação não deu resultado e segundo, escutei os outros e ignorei-me. Por causa disso, toda vez que optou pelo "achar" dos outros, você se arrependeu, pois não parou para discernir por si. A imaginação é livre, assim como a vontade de fazer algo também o é.

Reflita por alguns momentos. De um modo geral:

- *de que jeito você acha que a vida é...*
- *de que jeito você acha que os outros são...*

Tudo isso não passa de imaginação e a gente faz muito disso. Por exemplo, você vê uma pessoa pela primeira vez, bate o olho nela e em dois segundos constrói uma imagem na cabeça. Estas idéias preconcebidas julgamentosamente vão interferir, quase sempre de forma negativa, quando *realmente* você conhece a pessoa.

Percebe como a gente adora criar coisas, fazendo uma imagem de nós e dos outros com nossas observações superficiais, considerando o nosso "achar" verdadeiro?

Outra coisa de que gostamos é do "será?" – o jogo da dúvida. "Será que tal coisa é verdade?" "Será que tudo é assim mesmo?" Fazer uma pergunta, com a clara disposição de se empenhar na busca sincera de uma resposta, é ter uma atitude sábia de pesquisador que geralmente nos leva a um crescimento. Porém, "o será?", da maneira que usamos, é só uma forma de nublarmos nossa consciência e de criarmos dúvidas. Acredito que fazemos isto quando temos preguiça de pensar no assunto.

Com o "eu acho" e o "será?" a pessoa fica sempre confusa, perdida e nunca consegue ver o real, o "é da coisa", restando-lhe apenas fantasiar. Ou seja, a pessoa realmente nunca acha nada, porque usou tanto *o achar* que ficou perdida. E "se perder" é bom para quem quer se esconder e fugir do próprio julgamento e do alheio, tentando evitar sentir-se condenado e desvalorizado. *Só quem julga, teme o julgamento dos outros.* ♥

Ilusões

♥ Não tenho nada contra você querer ficar no "acho que", pode ficar nessa quanto quiser. O que penso a esse respeito é que se você sabe que está fantasiando e que isso é um jogo da sua imaginação e conseqüentemente não o toma por realidade, tudo bem. Mas, quando você entra neste jogo, normalmente não é bem com esse discernimento, não é?

Quando faz isso, não pensa que está sendo movido

pela sua fantasia. Geralmente você acredita que tudo é verdade. E o nome disso é ilusão.

Será que você não é uma pessoa diferente da que pensa ser? Costumamos criar muitas ilusões. Às vezes, as pessoas fazem uma descrição sua e isso lhe parece estranho. Por quê? Porque elas o vêem com características que você nunca notou em si.

Pense nesta frase: *nós não somos o que pensamos ser.*

Quando você está na postura do "eu acho", está se escondendo. No "achar", põe-se uma distância e fica-se impessoal, tem-se medo de se expor ao julgamento dos outros e procura-se manipular as impressões do interlocutor, construindo uma imagem que o impressione. Fechamo-nos, portanto, inteiramente e ficamos fazendo o joguinho social. Dizemos coisas do tipo "eu sou assim", "eu gosto disso", "eu detesto aquilo", "fulana é mais assim", etc. Parece conversa de restaurante ou com o namorado, quando queremos fazer tipo para impressionar. Já com os familiares não dá para fazer tipo, porque convivemos com eles e, para eles, é mais fácil perceber quando estamos sendo verdadeiros ou não. ♥

Individualidade

♥ É engraçado observar pessoas que na vida em sociedade brigam pelos seus "achares", querendo que os outros os considerem importantes. Chamam isso de opinião.

Na verdade, toda essa postura do "eu acho" nos faz perceber que grande parte do tempo de nossas vidas se passa na nossa cabeça, na nossa imaginação. As outras partes que compõem o nosso corpo perdem a importância. Elas ficam sendo apenas um detalhe que existe para sustentar a cabeça como se fosse um pedestal. É claro que a cabeça tem a sua importância, mas é preciso saber discernir as coisas.

Na educação que recebemos, o corpo sempre foi uma estrutura separada. É como se o corpo não fosse parte do *eu* total, quer dizer, pensamos que estamos só na cabeça e não que somos inteiros. Há como que uma divisão na altura do pescoço.

A cultura ocidental favoreceu mais o desenvolvimento do hemisfério cerebral esquerdo, responsável pelo raciocínio. Isto foi realmente importante, mas faltou desenvolver o hemisfério da intuição, do sentir, do mais profundo.

A moderna ciência e a metafísica compreendem cada vez mais que somos um ser integral, um ser inteiro e não só cabeça ou corpo. Para a maioria das pessoas, o significado dos termos indivíduo ou individualidade é estar dividido, separado de si e dos outros, sem ser si mesmo. E a verdade é exatamente o oposto, quanto mais você se torna um indivíduo, mais se torna um com o todo.

O próprio termo já diz isso: individualidade é não ser dividido, é ser um.

IN	**DIVI**	**DUO**
NÃO	**DIVIDIDO**	**EM DOIS**

♥

O poder de imaginar

♥ É claro que usar a cabeça, o raciocínio ou quaisquer outras operações intelectuais é importante. E vale notar que são o produto do nosso fantástico poder de imaginação. A cada sensação que recebemos, associamos um símbolo, que é uma criação fantasiosa, e depois articulamos sensação e criação. Os símbolos são fantasias que representam nossas sensações, possibilitando-nos pensar, falar e nos comunicar de mil maneiras. Mas você não é só cabeça. Não é como dizia o grande filósofo Descartes: "Penso, logo existo". Apesar de ter sido um verdadeiro gênio a quem muito respeitamos, parece que ele estava equivocado. O homem pode viver sem pensar, pois ele pode sentir.

Então, quem é você, afinal? Pode ser que você se veja de um jeito que não corresponda mais à realidade, pois continua a pensar que você é como era há alguns anos, sem perceber que ocorreram mudanças. ♥

Discernimento

♥ Nossa proposta é de que você entenda mais de si mesmo e para isso é preciso ter discernimento, ou seja, percepção das coisas como elas são realmente. Através da observação, sem julgamento, você vai discernindo e ficando mais lúcido. Então, discernir é assumir a atitude de observação pura, agir friamente, distinguir as coisas como *realmente são*, recolhendo o maior número de dados possíveis do fenômeno observado.

Para você entender melhor essa questão do "eu acho", do julgamento e do uso da imaginação, proponho uma atividade oposta ao "eu acho". Isto porque, criando contraste, conseguiremos ter mais consciência das coisas. Consciência é o poder que se tem para perceber.

Agora, faça o exercício abaixo:

Volte-se para dentro de si. Feche os olhos. Fique só com você...

Esqueça toda a cabeça e mergulhe por inteiro no seu

corpo físico, tornando-se consciente das bilhões de sensações que você pode estar sentindo agora...

Como você se sente agora?...

Comece a responder com a frase:

Eu ***sinto*** *que...*

Observe o seu peito, o seu estômago.

Como é a sensação?...

O seu corpo é um computador imenso que recebe tudo o que se passa por fora e por dentro.

Eu ***sinto*** *que eu sou...*

Eu ***sinto*** *que agora estou...*

Continue a fazer isso e perceba como você fica...

O que você notou no *"eu sinto?"* É mais verdadeiro, não é mesmo? É estar presente por inteiro, é se conhecer, é a intimidade com você.

O "eu sinto" não vem só do mundo interior, mas também do exterior. Por exemplo, *estou me sentindo leve* e também *estou sentindo a roupa na minha pele.*

O verbo sentir não se restringe só aos sentimentos, mas é todo um conjunto de sensações que temos a cada instante. São sensações com qualidades diferentes como:

- as cinestésicas: calor, tato, odor, pressão, visão, audição, paladar, etc.
- as emocionais: ódio, raiva, desejos sexuais, etc.
- as sentimentais: amor, tristeza, depressão, angústia, alegria, etc.

No "eu sinto", a pessoa é sincera, sabe se colocar e o outro sente confiança, respeito e segurança. Não há verdadeiro contato entre duas pessoas que estão no "eu acho", pois intimidade só pode ocorrer no "eu sinto".

A pessoa que diz : "eu não sinto nada", não quer se ligar com o corpo. Esse tipo de pessoa quer permanecer na fantasia e não sai do "eu acho", não cai na real, disfarça e imagina que não está sentindo nada. Ou, ainda no "eu acho", fica imaginando que sensações ruins, terríveis, podem acontecer com ela. E, é claro, a imaginação também causa sensações no corpo. Se você imaginar que um ladrão vai entrar na sua casa e pegá-lo, sentirá no corpo as sensações de perigo, medo e pavor, como se estivesse vivendo essa situação de verdade. Mas a diferença entre ambas é que uma é falsa e a outra, verdadeira, e para você discernir a realidade é preciso parar de imaginar.

Costumamos colocar toda a força de nossa fé no que imaginamos, convencendo-nos de que é real. Como já vimos, chamamos isto de ilusão. Não pense, com isto, que a imaginação é uma função perturbadora, mas, como todos os dons que a natureza nos deu, é uma faca de dois gumes. Quando a gente sabe usá-la de forma produtiva, como, por exemplo, nas ciências e nas artes, ela é indispensável; mas, se mal usada, só nos causa desilusões e sofrimentos.

Observe que no "achar" você fica inseguro, fora de si, defensivo, não se assume. Já no "sentir", você é seguro, percebe claro as sensações, sente-se por inteiro, íntegro. Você percebe a existência do corpo. Você se assume.

Quem está ligado no "eu acho" não está ligado na vida, nas sensações. E com você, como é? O que *você* está vivendo? Uma construção mental? Se você não está no real, o que é viver para você?

Vida são sensações. Você sabe que está vivendo, porque sente e não porque pensa, embora você possa estar pensando no que está sentindo.

Eu sinto, logo existo. Você já notou que pode não estar pensando nada, apenas prestando atenção no que está sentindo? Você já notou que pode sentir e pensar ao mesmo tempo? Eu já notei que tenho mais sensações quanto menos penso; e quanto mais observo, mais vivo fico.

Estamos sempre fugindo das sensações, substituindo-as pela imaginação. Este hábito automático foi criado em nossa infância quando não queríamos mostrar como realmente éramos. Ficávamos sem-graça ou com vergonha na frente dos outros e para evitar possíveis punições ou gozações nós nos escondíamos.

A maioria de nós pensa sempre que é menos do que é, ou se põe numa loucura de achar que é muito grande, ou muito pequeno, ou muito diferente. Na verdade, somos péssimos na imaginação de nós mesmos e no caso de imaginarmos sobre os outros, somos ainda piores. Imaginamos o que os outros imaginam de nós e com isso tendemos a acreditar que eles pensam exatamente o que pensamos a nosso respeito. E é fácil perceber como esse tipo de coisa é desastrosa.

Se você se observar atentamente, verá que boa parte de sua auto-imagem origina-se no seu hábito, desde criança, de levar a sério o modo como os outros o vêem, o classificam e o consideram. Nós tendemos a nos olhar com os olhos dos outros.

Temendo o julgamento dos outros a nosso respeito, escondemos o que realmente *sentimos* e partimos para o "achar".

Você pode ter escolhido ficar no "eu acho" por uma questão de defesa. Parece que as pessoas percebem isso intuitivamente e, por isso, não o levam a sério nem o respeitam, porque não sentem a energia de confiança que teria de vir de você. Você fala e é só uma boca falando; não tem ninguém ali. ♥

Segurança

♥ A confiança e conseqüentemente o respeito que os outros possam ter em nós, vêm do fato de sentirem a energia que exalamos quando estamos no estado de segurança.

A palavra segurança quer dizer segurar, prender em alguém ou em alguma coisa. No caso, somos seguros quando estamos presos ao que verdadeiramente *sentimos*.

O estado de insegurança, tão comum em nós, vem do fato de estarmos sempre a duvidar do que sentimos e a valorizar mais as opiniões alheias.

Assim, a palavra valorizar significa *dar importância ao que sentimos*, confiando que as nossas sensações existem para servirem de referencial para nossas ações. Um claro exemplo disso é o fato de usarmos nossas sensações visuais para nos guiarmos quando andamos. Se por algum motivo você desvalorizasse os seus olhos e não confiasse mais neles, iria querer usar os olhos dos outros para se orientar. O nome disso é insegurança.

A postura do "eu sinto" é que vai fazer você crescer.

Quando você observa as suas *sensações*, aprende mais do que quando observa os seus *pensamentos*. Porque é nas sensações que você estabelece o que é verdadeiro para sua essência.

A essência é o ponto central e superior no ser humano. Dela, parte a energia de vida que coordena todas as nossas funções. A vocação, o amor, a criatividade, a inspiração, a força de vontade, a sabedoria, o destino, a felicidade e o senso de unidade universal são de sua inteira responsabilidade. Portanto, estar preso a ela, *centrado nela*, quando agimos, é o que produz a verdadeira segurança. ♥

A verdade

♥ O que é verdade? Verdade é um nome dado a uma certa qualidade de ajuste de algumas sensações.

Para entender melhor isso, faça o seguinte exercício:

Diga-se interiormente: "Eu sou um ser humano dotado de inteligência", e acompanhe as sensações que esta afirmação provoca em você...

Agora diga para si mesmo: "Eu sou um animal irracional", e também acompanhe as sensações conseqüentes...

Procure comparar as duas experiências acima, tentando discernir as diferenças.

Podemos concluir que fica difícil conceituar essa sensação especial que damos o nome de "verdade". Por outro lado,é bem simples senti-la ou identificá-la. É por isto que dar importância ao que sentimos é fundamentalmente necessário. ♥

A vida é um processo

♥ Vamos, agora, fazer um outro exercício:

Preste atenção no seu corpo, focalizando mais as suas pernas...

Como elas estão? Soltas? Tensas? Doloridas? Frias? Quentes?...

Perceba que quando você observa as sensações que ocorrem nas pernas, você torna mais específico o seu sentir e as sensações vão mudando porque elas se movem, se modificam e não se repetem.

Do mesmo modo é a vida. Ao perceber as sensações, você percebe a vida em você. E vida é todo um movimento, e nós somos, literalmente, esse movimento. O que geralmente ocorre na vida diária é que nós nos ligamos mais no que pensamos do que no *como sentimos.*

Chamamos de processo ou vida a todo esse movimento de sensações que são objetos de nossa atenção. E para que eu interfira em mim mesmo e obtenha um ótimo resultado, preciso iniciar a observação do meu processo de vida, ou seja, tenho que me tornar um mero observador de mim mesmo.

Quando observo o meu corpo, percebo o que estou sentindo realmente, o que está acontecendo comigo, de onde vem o que "eu sinto"; estou observando o processo, o movimento da vida em mim e ele vai ficando claro, consciente, lúcido. Observar como as coisas se passam em mim é observar como a vida flui em mim.

Quando não estou atento ao processo de vida em mim, vou precisar me guiar pelas experiências dos outros, tornando-me dependente.

Ser dependente é não ter senso próprio, é perder o senso de direção na vida, é não saber claramente o que quer e o que pode fazer. Usar os outros para se direcionar e fazer deles o ponto de apoio é dar-lhes a liberdade de controlá-lo, perdendo o controle sobre si mesmo. Não tendo mais autocontrole, você vai querer que os outros lhe façam o que seria sua função fazer, ou seja, que eles resolvam os seus problemas e se responsabilizem por você, protegendo-o, aceitando-o, amando-o, etc. E naturalmente, quando perceber que os outros não o assumem, porque, na realidade, ninguém é responsável por você, sua tendência é se fazer de vítima, achando que os outros são cruéis. O que em última instância, só faz você sofrer.

Conhecer-se depende da observação do sentir. É tornar-se presente, é tomar posse de você, é sentir o processo intenso que você é, ou seja, é perceber o conjunto de muitas coisas que, no fundo, é uma estrutura que damos o nome de pessoa, presença.

Quanto menos você imagina, mais está com as suas sensações e, portanto, você está vivo, bem vivo no aqui e agora! Você só tem condições de perceber o que acontece *agora*. Você pode questionar: e quanto às sensações do passado que ainda sinto hoje? O passado é passado, e, na maioria das vezes, o que resta dele são lembranças exageradas e distorcidas que por serem imagens gravadas na memória, não são sensações reais. O passado existiu e não se pode realmente sentir algo que não está mais presente. O que acontece, na verdade, é que alguns fragmentos do que aconteceu impressionaram a memória e, ao trazê-los para a consciência, produzem novas sensações.

Cabe aqui notar que nossas sensações não são simplesmente geradas pelos estímulos externos, mas também pelos internos. Por estímulos internos, queremos dizer as sensações causadas pelos nossos órgãos, pelo nosso inconsciente e principalmente pelo que pensamos.

Às vezes, você se sente insensível, porque está há algum tempo evitando entrar em contato consigo mesmo. Isto mostra que se você não está "ligado em você", então, está morto, porque a única morte que experimentamos na existência é a dos sentidos. A morte física, o desencarne, é uma aventura cheia de sensações. Estar morto é sentir o nada, enquanto se pensa que está vivo.

Proponho a você experimentar um pouco mais do "eu sinto" para conhecer-se melhor. Quando perceber que está no "eu acho", dê uma paradinha silenciosa e entre novamente no "eu sinto". Dê-se um tempo para observar-se, sem aflição nem cobrança, só sentindo...

Uma segunda proposta que faço é que quando uma pessoa estiver conversando com você e começar com os "eu acho", com aquele jeitinho bem maroto, bem safado, pergunte-lhe: "o que você *sente* mesmo?" Após ter feito sua pergunta, observe como a pessoa reage.

Observando seu próprio processo, perceba que quase tudo o que sentimos tem sua origem no que pensamos e acreditamos. Sendo assim, podemos controlar o nosso sentir, mudando nossas crenças e nossos pensamentos. ♥

Segunda Parte

PROBLEMAS

♥ *Dar velhas respostas*
a situações novas
é criar problemas. ♥

♥ *Não existem defeitos no homem.*
O que existe é ignorância
em usar os próprios atributos. ♥

Não é errado errar

♥ Na vida, cada pessoa faz aquilo que sabe fazer.

Você fez uma série de coisas ao longo da sua vida que hoje pode achar condenável e considerar ignorância ter feito. Mas pode também entender que isto não passa de velhos julgamentos e reconsiderar. Pense que tudo que já fizemos na vida, por pior que pareça hoje, foi sempre a maneira que achamos para resolver o que nos pareceu problemas em épocas passadas. E cada um resolveu à sua moda.

Acontece que certas formas de comportamento que são úteis como resolução de problemas em uma época, não são em outra. E nós, muitas vezes, insistimos em manter as mesmas velhas respostas, os mesmos antigos padrões, para situações novas, ignorando as devidas mudanças que o tempo nos faz. Essas respostas são padrões que não têm mais nada a ver com a realidade hoje, tanto no plano social, como também pessoal. Se você olhar em volta, vai ver que as coisas realmente mudam. A vida muda, a gente muda e a cabeça nem sempre acompanha. Há coisas que, quando éramos crianças, não eram problemas, mas se as repitimos quando adultos, tornam-se problemáticas. Por exemplo, precisar segurar na mão de uma pessoa para atravessar a rua, ou querer a mãe sempre por perto. Dar velhas respostas a situações novas é criar problemas. ♥

Flexibilidade

♥ A capacidade de mudar velhos hábitos e atitudes reflete o seu grau de flexibilidade que indica o seu nível de saúde mental. Quanto mais inflexível, maior será o tempo de reação a situações novas, criando profundos transtornos para você. Agora, se você é flexível e não deixa o passado ter poder sobre você, mais livre se encontra para perceber, digerir e responder adequadamente à vida. ♥

Tudo é relativo

♥ O que para mim pode ser antigo e ruim, para outro pode não ser tão mau assim. É que nós somos diferentes mesmo! Porém, gostamos de regras para todos, gostamos de pôr todo mundo numa estatística e rotular as coisas. Consideramos que fazer isto é simplificar. Por exemplo: o comportamento sexual sadio para uma mulher de 35 anos seria... para uma de 45 seria... para uma de 65 seria... (tenho certeza de que você é capaz de completar estas frases). Gostamos de regras rígidas, porque nos dão a falsa impressão de segurança. Detestamos surpresas e novidades. Qualquer novidade tende a ser vista como imprevisto – o que não foi previamente visualizado por você – e é tida como contratempo.

Você se esquece de que a vida vai continuar mudando independente da sua rigidez. É só olhar a nossa volta para ver que cada um tem uma cara, não há dois rostos iguais. Nós não somos iguais apesar de sermos semelhantes. A sua cara também tem mudado dia após dia. Como não somos iguais e as coisas estão sempre mudando, padrões de comportamento rígidos não vão funcionar.

Cada um de nós está dentro da própria vivência. Cada um teve e tem uma história única de vida. Fomos expostos a diferentes experiências, estímulos, observações, percepções, totalmente individuais, tendo ainda vivido múltiplas vidas. Cada um está numa trajetória única dentro da evolução. Tentar saber o nosso grau de evolução é impossível, pois não enxergamos toda eternidade com suas diferentes escalas gradativas de conhecimento e isso nos torna incapazes de classificarmos a nós ou aos outros. Mas sabemos, pela observação, que cada um é diferente do outro. Não só pela própria originalidade física, pois a natureza não se repete nunca, como também pelo grau de conhecimento e vivência que já possui.

Você é único. Único no Universo.
Vivendo um tempo único.
Experenciando situações únicas.

E isso é muito, muito profundo. Não adianta você se comparar com as normas do que é adequado ou inadequado, normal ou anormal, porque, na verdade, estas são padrões estabelecidos pelo imperfeito conhecimento humano e, portanto, não servem.

Grande parte da nossa dor, do nosso conflito interno, vem do fato de nos considerarmos errados, porque não estamos nos padrões convencionados pelos homens. Você faz isso com você o tempo todo e esquece de observar que a natureza tem os seus próprios critérios.

O que você julga tão bom em mim, será que seria bom para você também? Nós gostamos de acreditar que as coisas são boas ou más em termos absolutos e que serviriam para todos em qualquer ocasião. Mas a realidade nos mostra que tudo é relativo e que nada pode ser aceito como absoluto. É necessário que testemos cada idéia em nossas experiências. *Tudo é único e tudo é relativo.* ♥

Ser adequado

♥ O que será que é realmente adequado para você? Você só pode responder quando experimentar. Mas você não faz sempre isso. Geralmente você se julga, segundo os critérios humanos tidos como aceitáveis. E aí você se sente inadequado por ser diferente daquilo que é convencionado. Agora, inadequado mesmo é você tentar ser igual aos outros, ou seguir o que eles esperam de você, enquanto continua a se ignorar e a se desvalorizar da forma como você é. Será que grande parte do seu vazio existencial, da sua aflição, da sua angústia, da sua solidão, dos seus medos, dos seus nadas, das suas crises, não ocorrem por que você se considera inadequado ou por que está fazendo o que os outros esperam que você faça? Pense bem nisso. ♥

"Se dar" força e "se forçar"

♥ A gente faz uma força incrível para viver. Todo mundo faz força para se animar, força para se conter, força para carregar sua cruz, força para rir. Todos vivemos fazendo força. E quando isso vai parar? Quando vai sobrar tempo para gozarmos a vida? Para que precisamos fazer força, nos forçar tanto; será que a natureza em nós não sabe para onde vai? Será que a natureza não tem sabedoria e nós temos que corrigir tudo? O que quero dizer com isso é: precisamos forçar nossos filhos a aprenderem a mamar? Não, claro que não. Precisamos forçar nossos filhos a aprenderem a andar? Também não. Não foi assim também para eles aprenderem a falar? Existe algo em nós que garante a evolução. Então, por que a gente precisa se forçar? "Se dar força" é uma coisa, mas "se forçar" é outra. Por exemplo, posso dar força para o meu ânimo, ou posso me forçar a ficar animado com alguma coisa que não me interessa no momento.

Percebe como tudo é relativo e que a única coisa que é absoluta, é que tudo é relativo. Eta metafísica boa!

É, pode ser que leve um tempo para você compreender realmente. Até hoje eu estou tentando compreender. Já sei que é verdade, já assimilei alguns aspectos disso, mas percebo que ainda há muito trabalho a fazer. Parece que somos feitos de camadas que vamos limpando até chegar a uma coisa mais verdadeira na gente. É claro que você pode assimilar mais rápido do que eu, lógico, nós somos diferentes e, por isso, você pode ter um desempenho melhor do que o meu com aquilo que ensino. Tem gente que já conquistou muita coisa que ainda não conquistei. Talvez seja porque eu não tenha que conquistar o mesmo que os outros. Eu não me comparo. ♥

Amebas

♥ Então, vamos tentar nos entender melhor. Na vida, criamos regras para nós, devido ao medo de sermos nós mesmos. Parece loucura? Mas não é, não. Essas regras são estruturas mentais para as quais dou o nome de amebas, que nada mais são que as crenças ou os pensamentos padrões que um dia acreditamos como verdadeiros. Por quê? Neste caso, voltamos aos velhos motivos: não queremos nos mostrar como somos realmente para não corrermos o risco de não sermos considerados e estimados.

As amebas são formações psicoenergéticas que aparecem quando nós nos impressionamos negativa ou positivamente com um fato, uma situação ou com a opinião emitida por nós ou pelos outros. Elas ficam registradas em nosso subconsciente, que é a zona mental situada entre o consciente e inconsciente. O subconsciente se caracteriza por não possuir um juízo de valores próprios, portanto não sabe discernir o que é verdadeiro ou falso, certo ou errado.

Possui, também, a capacidade de usar estas impressões como verdadeiros roteiros e moldes para criar situações que iremos experimentar. Sua maior habilidade é a de criar as diversas situações em nossas vidas. Ele também armazena essas estruturas em nosso corpo e em nossa aura (nosso campo energético) que servem de auxiliares em nossas experiências.

Mentalmente nós costumamos percebê-las como vozes interiores, com as quais dialogamos constantemente.

É preciso ressaltar que estas estruturas amebóides – claramente percebidas pelos videntes – são frutos da nossa vontade e poder. Criamos, destruímos ou recriamos amebas (condicionamentos, segundo os psicólogos), conforme achamos necessário. Estas criações têm origem na necessidade de nos defendermos do que percebemos como ameaçador, ou mesmo de arquivarmos nosso repertório de habilidades. Um bom exemplo disso é aquela voz insistente dizendo "para que você não esqueça os compromissos". ♥

"Tem que"

♥ Uma das amebas mais significativas é a do "tem que". Agora vamos trabalhar com ela para entender melhor como funciona.

Exercício:

a) Providencie uma lista das coisas que você "tem que" fazer. Pegue as mais importantes da sua vida em qualquer nível.

Por exemplo:

– eu tenho que trabalhar arduamente.

– eu tenho que estar sempre alegre.

– eu tenho que arrumar os armários.

Agora, no espaço abaixo, escreva os seus "tem quês" mais importantes.

Eu "tenho que":

1)..
2)..
3)..
4)..
5)..
6)..
7)..
8)..
9)..
10)..

b) Releia com atenção, lentamente, incorporando essas ordens e passe a observar os efeitos que produzem em seu corpo quando você está totalmente envolvido com elas.

Repare principalmente o que ocorre com:

- *seus ombros...*
- *seu peito...*
- *sua nuca...*
- *sua respiração...*

Localize em que parte da sua cabeça o "tem que" fala...

Verifique se você percebe, neste local, uma pressão de fora para dentro (isto prova que as amebas são estruturas exteriores a nossa pele, pois elas atuam de fora para dentro)...

Perceba que, apesar da ameba do "tem que" ficar na cabeça, ela se ramifica para atingir várias partes do corpo...

Talvez você tenha sentido pressão na nuca, peso nos ombros, na coluna, respiração ofegante, peito apertado. É, essa ameba provoca essas coisas, porque ela tira o seu ânimo, empurra-o para dentro. Ela não está preocupada com o que *você sente*. Ela pressiona você para dentro, dando-lhe a sensação de angústia. O ânimo vem do peito. Ânimo, do latim *anima*, significa alma. O "tem que" nega a sua alma.

Parece que você começou a entender, porque tem aquela dorzinha constante, aquele desconforto que não "te larga", que vem e vai e não adianta remédio algum, não é?

Você obedeceu ao "tem que" e não sentiu nada no corpo? Então, a coisa *tá grave*. Você está vivo porque come, anda, fala, mas está morto para o sentir.

c) Agora escolha o "tem que" mais importante da sua lista. Se você não fizer o que esta ameba manda, o que vai acontecer?

Por exemplo:

- *Eu "tenho que" fazer a lição da escola,* ***senão*** *a professora vai "pegar no meu pé."*
- *Eu "tenho que"ser boazinha,* ***senão*** *os outros não vão me aceitar.*
- *Eu "tenho que"deixar a casa em ordem,* ***senão*** *serei tachada de relaxada.*

Para descobrir os tipos de ameaças que ela faz, vá ao final de cada tópico de sua lista e acrescente um "senão..." como nos exemplos acima e só volte a ler o livro quando terminar.

O "tem que" é sempre uma imposição de algo que não é natural em nós. Por isso, você precisa sempre se coagir através do medo, porque só assim consegue impor-se algo artificial.

A ameba do "tem que" é autoritária e dominadora. Com ela, você perde a liberdade e a espontaneidade. Você mesmo a criou num momento da sua vida, como uma defesa para o que lhe parecia ameaçador.

Esta voz está sempre pressionando você para dentro. Neste instante, experimente desafiá-la, negando o que ela exige que você faça. Quando você faz isto, esta vozinha interior, provavelmente, vai rotulá-lo, dizendo:

– se você me largar, você vai ser:

- irresponsável.
- louco.
- vagabundo.
- inconseqüente.
- culpado.
- desleixado.
- desorientado.
- etc.

Ela está sempre prometendo catástrofes se nós não fizermos como manda, do mesmo jeito que nossos pais nos ameaçavam se não cumpríssemos com as ordens que nos impunham. E nós até hoje estamos acreditando nestas previsões trágicas. Mas, na verdade, é o inverso. Pois se você ficar no "tem que", estará fora do seu senso interior, do seu bom senso. Se você se sufoca com as ordens e suas respectivas ameaças, acaba ficando sem liberdade para discernir com clareza e saber com segurança qual a melhor forma de agir.

Contudo, é importante saber que foi *você mesmo* quem criou esta ameba e o fez tentando adaptar-se às exigências do ambiente em que vivia.

Quase todos nós aprendemos erroneamente que nossa alma, ou essência, é infantil e irresponsável. Aqueles que nos ensinaram este conceito, o fizeram porque não se acreditava na evolução através das sucessivas reencarnações. Pensava-se que nossa essência nascia na hora da concepção e por isso nossos pais achavam que precisávamos de controle rígido e podas constantes, algo que nos moldasse, garantindo nosso futuro num bom caminho. Na verdade, nós podemos hoje reavaliar tal conceito metafísico e afirmarmos: nossa essência é a eterna expressão de Deus, realizando-se dentro da evolução.

Agora vamos aprender um pouquinho mais sobre a ameba do "tem que".

Volte à sua lista e pegue o "tem que" mais importante

para você e complete essa frase:
Eu "tenho que"..
para que os outros me..

Você já percebeu que a maioria de nós tem a tendência de continuar a ver a vida de uma forma infantil, esperando que os outros pensem em nossas necessidades e que se responsabilizem por nós? Pois é, muita gente pensa assim. Este pode ser o seu caso. Veja se você assume como obrigações importantes o que os outros exigem de você. Você é uma pessoa cobrável? Se você se sente cobrado, é porque isto representa o pagamento pelos cuidados e favores que espera dos outros. Para isso, precisa rejeitar-se no que você tem de mais autêntico, assumindo as expectativas dos outros. Estas expectativas são as suas obrigações. Nasce aí, a ameba do "tem que". A função dela é nos orientar na maneira de agir para seduzirmos e manipularmos as pessoas em nosso favor. ♥

Eu não "tenho" que nada

♥ Muitas pessoas dizem que é impossível viver sem os "tem quês" na vida cotidiana. É bom esclarecer que, se livremente escolho trabalhar em uma certa empresa, está implícito que vou me submeter de livre e espontânea vontade às normas da organização de trabalho desta empresa. Eu posso não concordar com elas e, dependendo de minhas habilidades, posso sugerir mudanças, porém, se não conseguir, ainda sou livre para abandonar o emprego.

Não vamos confundir liberdade de escolha com libertinagem.

Eu sou livre para optar, sabendo que serei responsável pelas conseqüências. Isto é liberdade de escolha.

Agora, libertinagem é egoísmo, arrogância e burrice pois nela queremos que tudo funcione da maneira que imaginamos, sem levar em consideração todos os fatores reais que envolvem a situação, buscando o que nos parece o bem imediato só para nós. A libertinagem é inconseqüente e cheia de ilusões, por isso sempre acaba mal.

Se escolho dirigir um carro, está implícito que preciso usar a chave, colocando-a na ignição, girando-a para dar partida no motor. A pessoa libertina é aquela que "acha" que (fantasia que) tudo deveria ser diferente, muito simples e muito fácil como, por exemplo, dar partida no carro apenas com o pensamento, ou só apertando um botão. É claro que ela poderia chegar ao que imagina um dia, se ela realmente levasse isto a sério e se esforçasse para tal, porém o libertino "acha que" *já* deveria ser assim e se revolta quando não é, tal qual a criança.

Se você está disposto a acabar com a ameba do "tem que", comece a assumir que você "não tem que nada". Se você não ligar para ela, vai sentir a situação e as pessoas como realmente são, vai se ligar em você, porque o seu guia é o seu senso interior, que é a própria essência. Você vai agir de acordo com o que *sente,* ou seja, vai se dar a chance de ser esperto.

Use a frase libertadora: "o que eu sinto e realmente quero?" ♥

Culpa

♥ Se você tentar deixar o "tem que", mas não o fizer totalmente, você agirá livremente por um tempo, mas em seguida ele voltará, pois é automático e provavelmente o fará se sentir culpado. Essa ameba faz pressão para dentro, no seu peito, para puni-lo e você chama isso de culpa.

A culpa traz a dor que é uma forma da alma nos mostrar que algo está errado. Assim, quando algo dói, é sinal que precisamos tomar alguma atitude para eliminar a causa. Infelizmente, aprendemos que sentir culpa é um bom modo de sanarmos o problema. Porém, culpa não é solução, mas é, na verdade, sinal de que estamos agindo inadequadamente.

Nós desenvolvemos a idéia de que deveríamos ser pessoas ideais, caso contrário, mereceríamos nos punir e nos reprimir, escondendo o que realmente somos. Não me admira que a maioria de nós sinta-se perdida.

Lembra de você quando criança? A mamãe só gostava de você quando era lindinho, gracinha da mamãe, quando a ajudava ou ficava quietinho. Às vezes, fico desconfiado de que todas as mães fizeram o mesmo cursinho antes de nascer, porque elas falam e fazem tudo igual e nem se apercebem. Então, se você fazia direitinho o que a mamãe queria, ótimo, mas se não, logo vinha a punição: "A mamãe não gosta de você". Se a criança está animada, e se agita porque sua alma precisa se expressar, a mãe se irrita e quer que fique quieta. Ela quer falar ao telefone com as amigas, e a criança não pode ficar animada. Se ficar, ela diz coisas desrespeitosas do tipo: "Cala a boca, menino, ou eu encho você de tapa", etc. Pior é o olhar feio em cima da criança como quem diz: "Vá para dentro de si".

Acredito que todos nós já passamos por situação idêntica na infância e desde então aprendemos e nos habituamos a nos empurrar para dentro. Já notou como você se empurra para dentro? Você é fraco até hoje ao olhar dos outros? O outro quer empurrá-lo para dentro, mas você, como é muito esperto, se empurra antes. É sempre você que não se dá o direito.

É sempre você. A responsabilidade é sempre sua, graças a Deus!

O problema não é na infância, mas é agora, quando você faz o mesmo ao se empurrar para dentro, se reprimindo e se culpando. Nós nos queixamos do que nossos pais nos fizeram e estamos fazendo quase tudo igual a eles. Tem gente que promete a si mesmo ser um fracasso na vida só para se vingar deles. Será que este é o seu caso? Outros querem ter *status*, poder, só para provar aos pais que são bons, que conseguiram algo na vida, mas o que querem mesmo é a admiração deles. Estas pessoas optam por uma profissão, não porque têm uma verdadeira vocação e sim por desejarem a consideração dos outros. Como a vocação é uma coisa da essência, o trabalho, desvinculado dela, torna-se pesado e as pessoas vão ficando estressadas porque estão fazendo algo de que não gostam, algo com que suas essências não se envolvem e, portanto, nunca chegarão a se sentir realizadas.

Adoro quando uma mãe se queixa de que o filho é teimoso e revoltado. "Não consigo nada com ele", diz ela. Eu fico feliz pela criança. A mãe não sabe o que faz, está perturbada porque o espírito do filho é mais forte, e ela quer se impor pela força, não quer conduzir a situação de uma outra maneira, está disputando o poder, mas acaba não conseguindo nada. Os tolos entram na da mãe, mas os experientes não, mesmo. Qual foi o seu caso? Normalmente ocorrem os dois, ou seja, algumas vezes você entrou, mas em outras, não. Tem coisa que até hoje a sua mãe pode forçar que não entra mesmo, não é? O pai também não é muito diferente. Eu sempre falo mais das mães, porque são as mulheres que têm maior responsabilidade na educação dos filhos em nossa cultura. ♥

Limpando as culpas

♥ Vamos agora compreender melhor o que é culpa. Faça o seguinte exercício:

Escolha algo que você se sente culpado. Qualquer

coisa serve, como por exemplo, o simples fato de ter esquecido de telefonar para um amigo.

Deixe bem claro o que você deveria ter feito.

"Eu deveria ter"..

Note agora que você está dividido em dois: um lado sério, dramático, a ameba do "tem que", que lhe cobra determinados comportamentos e um outro que é você na realidade, agindo de acordo com a sua capacidade de percepção das coisas no momento que agiu.

Se você ficar do lado das cobranças, ou seja, da ameba do "tem que", ela vai pressioná-lo no peito, esmagá-lo e novamente a culpa aparecerá.

Agora faça uma experiência nova: fique do seu lado e procure perceber os verdadeiros motivos e sentimentos que levaram você a desobedecer às ordens. Seja corajoso e assuma-se. Diga a si mesmo: "Eu sou o que sou" e procure deixar de lado o orgulho. Diga-se: "Eu não telefonei, pois o que fazia naquela hora era mais importante", ou qualquer outra coisa que tenha sido o seu real motivo. Se assumirmos nossas verdades, anulamos o poder previamente dado às amebas. Porém, se inventarmos desculpas e argumentos ludibriantes, fortaleceremos ainda mais o poder delas. Isto significaria que temos medo delas, pois as consideramos poderosas. Com essa atitude, estaríamos aumentando o seu poder sobre nós.

Provavelmente você notará um grande alívio ao ficar do seu lado. Normalmente você fica do lado do seu cobrador e se machuca. Isto não o ensina a fazer as coisas certas, apenas ensina-o a se recalcar. Por isso é fácil entender que tudo aquilo que usamos para nos atribuir culpa, acabamos por repetir.

Com o tempo você se sentirá mais corajoso para ser autêntico com as pessoas e, por exemplo, não mais prometerá telefonar quando não sentir com clareza e convicção que realmente pode prometer algo assim. Quem vive no "tem que" quase nunca tem certeza do que realmente quer e, por isso, suas promessas são duvidosas até para si mesmo.

Agora pare de pedir desculpas. Comece a se assumir *como é*. O respeito por si, com certeza, o levará a aperfeiçoar suas habilidades sem sofrimento. ♥

Solidão

♥ A ameba do "tem que" é construída por você. A vida não está cobrando nada. Você construiu um monstro, pensando em se proteger e o deixou dominá-lo sem perceber que ele o escraviza até hoje. Com isso, você acabou por abandonar a sua verdadeira pessoa e passou a sofrer de um mal muito popular: a solidão.

No momento em que esqueceu de se perguntar: – E eu? E a minha real vontade de fazer algo? O que realmente é bom para mim? – você deixou de se dar consideração, afastou-se de si mesmo criando uma distância dolorosa à qual damos o nome de solidão.

Solidão não é a falta de outras pessoas em nossas vidas, mas é a falta de nosso apoio a nós mesmos. Se nos distanciamos do que realmente somos, estamos nos abandonando e nos rejeitando. Não importa o quanto alguém possa nos amar, considerar, paparicar, que a dor da solidão vai surgir sempre, esperando um momento especial para dizer: "eu estou aqui e você não liga para mim".

Gostamos de ser radicais, pois sempre nos dá uma falsa impressão de segurança. Ensinamos a cabeça a pensar: "tal coisa é boa e o resto é ruim", como se não existissem outras opções. E com isso acabamos criando uma armadura de constrangimentos e medos, perdendo a sensibilidade para discernir o mais adequado em cada situação, nos tornando vulneráveis ao sofrimento.

No auge da crise dos "tem quês", não nos damos folga. Por exemplo: temos que limpar o cinzeiro, falar ao telefone, dar recado para uma pessoa e, ao mesmo tempo, não podemos esquecer de pagar aquela conta, etc. É uma perfeita loucura, mas temos a ousadia de chamá-la de vida moderna! Aí, vamos deitar e não conseguimos dormir, porque "temos que" fazer uma lista do monte de coisas que "temos que" fazer amanhã.

Observe que o "tem que" é um juiz que fica julgando você o tempo todo. Ele tem regras do que é certo e do que é errado. Você "tem que" amar, não pode ser insensível e, quando amar, terá que ser de um certo modo, sentindo ciúmes, com um certo sentimento de dor, sofrer com os possíveis problemas da pessoa amada, tentar resolvê-los, enfim, tudo dentro das regras.

Só que a vida não é nada disso. Foi você quem permitiu que essas regras entrassem na sua cabeça. Foi você quem colocou rótulos desgraçados e punitivos aí dentro, se menosprezando e se envolvendo com vibrações negativas.

Depois de muitos anos de trabalho no centro espírita, atendendo pessoas que sofriam de obsessão, eu descobri que a maioria dos casos se tratava de auto-obsessão. Descobri que as amebas se comportam como autênticos obsessores desencarnados, ou por outro lado, que estes obsessores desencarnados se utilizam de nossas amebas para exercerem suas influências maléficas sobre nós.

Repare como isto ocorre com você. Se você se ligar agora naquela ameba (da sua cabeça, é claro) que sempre está contra você, talvez ela estará lhe dizendo: "você não faz nada direito", "você não é uma pessoa inteligente", "os outros são melhores que você ", "você sofre porque briga muito com sua mãe", "definitivamente, você não é uma boa pessoa", etc. O discurso parece não ter fim e quando você acredita nele, não tem macumba que tire a carga pesada que você mesmo atraiu, não tem centro espírita nem médium que dê jeito. Momentaneamente, esses recursos podem dar uma certa aliviadinha, mas se você não mudar as regras, criará tudo de novo, construindo uma placa energética de constrangimento e ódio em volta de si mesmo.

Assim sendo, como é possível ter saúde, beleza, juventude e leveza com toda essa vibração de ódio contra si mesmo? Se você se considera um erro, uma desgraça, uma vergonha e, portanto, não quer se assumir, quer fugir de você como se fosse um problema sem solução, abandonado na vida, então, você já nasceu um problema. Ainda não é gente e só vai ser quando fizer tudo o que os "tem quês" ordenarem. ♥

Felicidade

♥ Agora quero que você complete a frase:

Eu só posso ser feliz quando.......................................

Seja honesta com você. Por exemplo, só posso ser feliz, quando acabar de criar os filhos, ou quando sair o dinheiro que estou esperando, ou quando *eu me* aceitar. "Tem que" se aceitar, percebe como você já está arrumando mais um "tem que"? Anulou um, mas achou outro para pôr no lugar e isso é um tormento. Agora você "tem que" não ter mais "tem quês". Meu desejo, escrevendo sobre este assunto, não é o de aumentar ainda mais o poder da sua ameba do "tem que". Estou querendo tornar as coisas mais fáceis para você, porque acredito em felicidade. Portanto, preste muita atenção no que está fazendo com você *agora,* pois quando estamos envolvidos pela ameba do "eu tenho que", todas as sugestões que ouvimos são transformadas em cobranças.

Então, reflita: quais foram as condições que você estabeleceu na vida para ser feliz? Será que você tem a idéia de que só vai ser feliz depois da morte, por exemplo? Depois que pagar o seu carma? Depois de sofrer com abnegação todas as provas que a vida lhe impõe? É assim que a gente ouve as pessoas falarem, não é? Que é preciso agüentar, se escravizar, ser passivo, se sacrificar, aceitar tudo, porque a vida é árdua e é preciso vencê-la com resignação para gozar as delícias do céu ou para conquistar um lugarzinho melhor no plano espiritual. E com isso você "agüenta" o carma. E é preciso agüentar sem lamentação, senão o carma não tem validade. Isso me faz lembrar da história daquela mulher que tem um marido bêbado, que a agride todo dia, e ela agüenta para não ter que voltar a viver com ele numa próxima encarnação.

Você também tem essas idéias de carma, de céu e inferno, de sacrifício? Você está aqui na Terra só para pagar as suas dívidas? A vida é sofrimento que deve ser aliviado pela doação ao próximo? Então, sua vida é dos seus pais, do cônjuge, dos filhos, de Deus, dos espíritos de luz, do mundo, *menos sua*, não é? E quando será a sua vez? Só no futuro?

Para muitas pessoas, a idéia de reencarnação parece que só serviu para reforçar os velhos preconceitos da pena de talião: "Faz, paga." Você não precisa se sacrificar nesta vida para a próxima ser melhor, porque não existe tribunal de Deus para julgar ninguém. Você pode acreditar, em seu nível de evolução, que justiça é igual a vingança, mas tentar afirmar que as leis da natureza são vingativas, já é atentar contra sua inteligência. Quem se julga e se pune é você.

A lei de Ação e Reação é verdadeira, logicamente, mas a interpretação prática, feita pela maioria das pessoas, é realmente infantil. Acreditam em "crime e castigo", por isso, quando erram, elas mesmas se castigam ou exigem punição para quem erra. A vida delas é sempre dramática e dolorosa.

Assim, estas pessoas vivem com medo da vida, evitando assumir as oportunidades que surgem. É difícil crer que elas pensem que Deus seria estúpido ao ponto de castigar seus filhos já que os criou com todas as falhas. Elas não percebem que se Deus punisse sua obra, estaria se punindo. Deus não é vingativo. Tampouco é a vida.

Acredito que estas idéias são produto do modo como nossos pais agiram conosco e daí nós generalizamos, erroneamente, a Deus, Vida e Sociedade.♥

Depressão

♥ Antigamente eu também pensava como essas pessoas e um dia descobri que tinha duas vidas: uma vida presente à qual não tinha o direito de viver plenamente e deveria, portanto, sacrificá-la pela segunda, que seria a vida futura onde eu punha minhas esperanças de plenitude, mas que, por estar no futuro, não poderia gozar agora. Na verdade, eu vivia de ilusões para o futuro, enquanto me obrigava a fazer os sacrifícios no presente. Tinha, pois, insegurança, medo e insatisfação que eram sempre seguidos de raiva recalcada da vida. Como um bom cristão não podia ter raiva, tudo se transformava em depressão.

Hoje sei que tudo isso não passa de invenção de pessoas imaturas.

A única vida real é aquela que vivemos no agora.

Com isto quero expressar meu reconhecimento de que a vida *é eterna.* Sei que sobreviveremos à morte física, porém a única realidade que podemos alcançar é a que estamos vivendo agora. Sendo assim, a única felicidade possível é a que criamos no momento. Aprendi a fazer o meu dia-a-dia melhor, hoje, sabendo que *um presente bem vivido sempre garante um bom futuro.*

Com idéias diferentes a estas jamais poderemos ser nós mesmos autenticamente. Se não agirmos de acordo com o nosso senso interior, que é nosso espírito, mas sim com o juiz que instalamos na cabeça, nós nos desorientaremos, nos confundiremos e finalmente iremos nos desviar das verdadeiras realizações. E quando em nossas ilusões concluímos que não podemos ser nós mesmos, acabamos por nos forçar a adotar modelos de comportamento que são vistos socialmente como adequados e, com isso, vivemos uma vida padronizada e não a nossa vida real, com o que há de belo e singular.

Para nos espiritualizarmos é necessário assumir e apoiar o que somos em espírito. Parece-me claro que a vida, ao nos dar um centro superior de discernimento e orientação, já estabeleceu o nosso roteiro de realizações e felicidade e que este, na maioria das vezes, não tem nada a ver com o que a sociedade quer que sejamos. Tanto pior para os que crêem na ilusão e melhor para nós, pois estes sofrerão de depressão até que se cansem de suas ilusões. Enquanto nós desfrutaremos de uma vida plena. ♥

Liberdade de escolha

♥ Esquecemos que possuímos reais potencialidades. Elas ficam bem guardadas dentro de nós, prisioneiras de nossa ignorância. Amargamos muita insatisfação, pois o tempo todo nos empurramos para trás e não prestamos atenção em nossa alma. Vivemos como desalmados. Seres apáticos e infelizes. Estamos só com a atenção nas amebas do "tem que" que, em última análise, são os roteiros artificiais para copiarmos os modelos fantasiosos e perfeccionistas que aceitamos que nos fossem impostos. Sendo assim, perdemos um dos maiores poderes que temos: a liberdade de escolha. Porque com o "tem que", manipulamos e enganamos a nós e aos outros, para obter o que nossa vaidade quer, nos desencorajando a seguir nossa alma na escolha realmente ideal para cada um de nós.

Somos livres para escolher, mas criamos uma prisão na cabeça, uma ilusão escravista. Nós nos cegamos e nos acorrentamos às obrigações. Damos ao mundo um dos mais belos presentes que a natureza nos deu: a liberdade de pensar, escolher, agir, buscar e assumir a felicidade que é nossa por direito natural.

Note ainda que onde está o "tem que", não existe o "eu quero". Querer é poder. O "eu quero" é o seu poder, vem de dentro de você e quem ignora o próprio querer não tem poder. Com isso, você se torna usável, manipulável, vulnerável, seduzível a fazer o que os outros querem, pois basta dar uma "cobradinha" e você já se sente culpado e deixa de fazer o que quer. Se uma pessoa chegasse para você e dissesse só isto: "Nossa! Você! Quem diria, nunca pensei!". Provavelmente você já inventaria o resto do "script" em sua imaginação. Incrível como nós temos culpas na cabeça. Nem é preciso que o outro nos acuse claramente, basta insinuar e já nos acusamos.

Porém, você é livre para mudar isto e reassumir sua liberdade de escolha. É só assumir tarefas que sejam compatíveis com o querer de sua alma.

Quando você diz: "Só posso ser feliz se...", coloca condições só realizáveis no futuro, anulando as possibilidades reais do *agora*. E ainda se somarmos o fato de que o "tem que"é compulsivo, ou seja, nem bem acaba de conseguir algo, ele já tem outra exigência engatilhada, então, quando é que você vai ser feliz? Desse jeito, nunca! Ele não o deixa ficar contente com o que está acontecendo, com o que você tem. É um eterno "vir a ser". É um eterno esperar e nunca alcançar. É viver num constante tribunal temendo o juiz que age como dominador, estabelecendo obrigações e punições para você. As pessoas confundem obrigação com responsabilidade.

Obrigação é imposição. E nós só impomos algo quando queremos ir contra a natureza. Quando não acreditamos na inteligência da nossa alma e queremos ser o que não somos na verdade.

Responsabilidade é a nossa habilidade natural de gerar respostas para criar a nossa própria vida, sabendo que experimentaremos as conseqüências de nossas ações. Para a natureza, não importa se você está lucidamente consciente da sua capacidade de criar reações através de suas ações ou não. Se uma criancinha colocar os dedinhos na tomada, vai tomar um choque, não é? A eletricidade da tomada não vai deixar de funcionar só porque aqueles dedos são de uma criança inocente.

Assim, quando dizemos para alguém ser mais responsável, na verdade, estamos dizendo para tentar ficar mais consciente e cautelosa com o tipo de atitude que vai tomar, pois será só ela quem receberá os devidos efeitos. ♥

Dominado e dominador

♥ É óbvio dizer que para todo dominador precisa haver um dominado, não é? Ou seja, quando a pressão do dominador é forte e você não agüenta mais as regras que criou, surge o dominado como defesa aos "tem quês"; ele é a sua natureza interior, defendendo você das pressões auto-impostas. Toda vez que você se forçar a algo, a natureza colocará em ação suas defesas.

A natureza interior reage na zona inconsciente, involuntária e não na zona voluntária, consciente, porque nesta há o domínio do livre-arbítrio e é nela que colocamos os "tem quês".

Essa natureza interior funciona criando preguiça, sono, moleza, quebradeira, doença, "brancos" na mente, esquecimento, dificuldades de todos os tipos, isto é, mecanismos de defesa que a gente não controla. Tudo isso é uma forma indireta de dizer: *assim, não!* Você se obriga, e a natureza breca. Você se força, e a natureza diz *não.* Essa situação causa constante atrito interior, uma tensão atordoante que quando chega a um ponto agudo chamamos *stress.* Quando uma pessoa está estressada, a orientação que mais ouve é: não se force a nada, tire férias, vá fazer ginástica, correr, ou seja, é dado a ela um estímulo, mas não é pedido que "se force" a fazer nada que não queira. *Forçar-se a fazer o que não quer, é se matar aos poucos.* Em contrapartida, dar-se força para realizar as verdadeiras vontades da alma é definitivamente viver.

Isto é o que chamo de vida espiritual.

Quase sempre, o dominador é insistente e força situações, tentando mostrar as vantagens que você terá se obedecê-lo. Mas logo, logo você se sentirá sabotado, pois perderá o pique, o ânimo e acabará por estragar o que estava fazendo. Um bom exemplo disso é a pessoa que *se força* a fazer ginástica porque quer ficar com um corpo bonito para *agradar aos outros.* Então, ela estabelece um programa, paga uma professora e na hora da ginástica, surgem mil empecilhos impossibilitando-a de comparecer à aula. Mil coisas acontecem *sempre* no horário da ginástica e a pessoa acaba por não fazer nada. É bem diferente do que acontece com quem está *com vontade* de fazer uma atividade física para ter um corpo saudável e bonito *para si mesmo.*

Agora, pergunte-se e reflita por alguns minutos: *Como eu fico quando o dominado está agindo?...*

Perceba se ele provoca algumas dessas reações:

- sono.
- quebradeira no corpo.
- preguiça.
- vontade de adiar compromissos.
- cansaço.
- doença.

- atordoamento.
- melancolia, angústia.
- desvio de atenção.
- perda súbita da vontade.

Tente deixar cada vez mais claro para você o jogo do dominador e do dominado. Localize-os em sua cabeça. Se quer se ver livre de tudo isso, primeiro é necessário que você reconheça o mais claramente possível como eles funcionam em seu caso. Você irá notar que ambos negam o *si mesmo* original. O dominador impõe tarefas sem levá-lo em consideração, e o dominado se rebela, mas não o ajuda a fazer o que você realmente quer. E nisso, todas as suas energias se vão sem que nunca você se sinta realizado. ♥

Vítima

♥ O papel preferido pelo dominado é, sem dúvida, o de vítima, o de coitado.

A *vítima*, tão famosa e antiga, é o maior obstáculo existente na cultura de todos os povos. No Brasil, então, ela se institucionalizou, porque todo mundo quer ser vítima. Se a Estátua da Liberdade representa com profundidade os valores da cultura norte-americana, no Brasil, deveríamos erigir a estátua da Vítima que retrataria fielmente o ideal da nossa cultura.

A própria ciência destaca que o homem é vítima. A Antropologia diz que o homem desenvolveu a cultura, a vida em sociedade, porque a natureza era agressiva e atroz para com ele. Portanto, foi preciso que ele se defendesse contra ela, que a dominasse. Já na área do comportamento humano, somos frutos da genética, ou seja, o modo como você se comporta tem raízes nos gens paternos que chegam em você por uma questão de sorte ou azar, de probabilidade. Ou ainda, somos frutos do ambiente ou da educação paterna.

A vítima não tem poder de escolha, ela é administrada pelo mundo exterior, não tem força e nem capacidade. Mas, ao mesmo tempo, existem vantagens para a vítima principalmente quando está na situação de desculpismo do tipo: "Eu não consigo fazer, é difícil para mim, você consegue, porque é mais inteligente e mais evoluído que eu", e arremata com um golpe fatal: "FAZ PRA MIM!"

Ver alguém como vítima e coitado é considerado um sentimento de bondade cristã. O bom cristão é aquele que tem pena, que tem dó de uma pessoa que está numa situação difícil na vida. Mas dó não é compaixão, dó é dor e tudo que dói não é saudável. A dor é um aviso. Quando algo dói é sinal que estamos fazendo alguma coisa errada. Ela é o alarme da alma a chamar nossa atenção de que algo que, conscientemente, estamos fazendo é prejudicial à integridade do nosso ser como um todo. Então, ao senti-la, devemos mudar nosso jeito de agir, tentando algo que nos traga benefício. Por exemplo: você está sentado na cadeira há algum tempo, em uma determinada posição, e começa a doer os quadris. A dor está chamando a sua atenção para mudar de posição, senão vai comprometer a integridade do seu corpo.

Dó é sempre raiva disfarçada. Quando sente dó de alguém, ou de si mesmo, intimamente você gostaria de dizer: "Saia desta, lute, você está se entregando", ou "Você fica dando uma de fraco". No caso, a raiva funciona como um impulso de luta e defesa, porém aprendemos genericamente que qualquer raiva é nociva e, portanto, indício de maldade. E quem quer parecer maldoso aos olhos dos outros? Ninguém, é claro. Por isso recalcamos nossa raiva e mentimos para nós, anulando assim nosso impulso de coragem. Nesta hora, a nossa alma cria uma dor no peito, de fora para dentro, mostrando que estamos nos empurrando para trás, nos anulando, e a esta dor nós chamamos de pena ou dó.

Compaixão vem de dentro para fora, vem da nossa essência, e não de fora para dentro, opressoramente como a piedade. A compaixão é um sentimento que nos causa, fundamentalmente, bem-estar. Ela é feita de amor e compreensão, portanto, não julga ou exige nada e se nos leva a dar algo a alguém, só nos causa prazer, mostrando com isso que nosso gesto é adequado. Na vida não há vítimas, não. Jesus disse: "O jugo do meu pai é leve." O nosso é pesado, porque somos nós que nos impomos tarefas infelizes. ♥

Obrigação e disciplina

♥ Lembra-se daquelas coisas que você insistiu em fazer, em se impor e que nunca deram certo? Nós não funcionamos, definitivamente, por imposições absurdas e abusivas. Obrigados, não aprendemos nada. Obrigação não é disciplina nem ordem. Para você conseguir o que quer,não precisa se forçar, basta consultar e ter a aprovação da sua vontade interior. Mesmo assim, você precisará se exercitar, já que certas habilidades só se conquistam pelo treino contínuo e disciplinar. Por exemplo: se você quer aprender a datilografar, precisa de um treinamento durante algum tempo. Ninguém está lhe impondo nada, ao contrário, é uma escolha da sua legítima vontade de aprender e aí tudo vai bem.

Somos seres disciplináveis, ou seja, precisamos de treinamento para exercer uma habilidade. Necessitamos de exercícios práticos para manter o que já aprendemos. A questão não é o que você faz, mas COMO VOCÊ FAZ. Se você ficar se obrigando e se tratando como um animal que não tem direito à escolha, sem se dar um pingo de consideração, então, vai criar resistências. E nesse jogo de se empurrar para trás, o peito fica apertado, gerando ódio contra si mesmo. Você destila energia destrutiva dentro de si, começa a se destruir e a trabalhar para a desgraça. E aí, vai ficando velho, cansado, acabado, cheio de celulite, com barriga e careca. Se fizer o que o jogo manda, se sentirá estressado, desconsiderado, deprimido; se não fizer, se sentirá culpado ou mesmo sofrerá as conseqüências de algo que negligenciou. Nos dois, você perde.

Este mecanismo é a causa mais comum das doenças físicas e psicológicas.

Há muitas coisas que fazemos com prazer por serem naturalmente alimentícias, tais como: ler um bom livro, comer nosso prato predileto, namorar a pessoa amada, etc. Mas note bem, se começarmos a nos impor estas coisas, tudo fica insuportável. Pense, por exemplo, que você TERÁ QUE comer a comida só porque a pessoa que o fez, espera que coma. Ou ainda que TERÁ QUE namorar todo dia só porque seu parceiro quer. Tudo perde o encanto, não é? ♥

Ódio e coragem

♥ Agora, experimente passar para o seu lado, dizendo: "Eu não deveria nada, fiz o que fiz, o que considerei melhor para mim, o que tinha vontade de fazer, é assim que eu sou, eu não *tenho que* nada".

Volte para a sua lista de obrigações e negue essas tarefas. Assuma que você só vai fazer o que realmente for compatível com sua alma. Fique do seu lado e observe como você se sente...

Ficar do seu lado, ser seu amigo, respeitar suas

necessidades, é muito bom, não é?

Quando você fica do seu lado, no que é real para você, a culpa acaba por não ter mais forças para oprimi-lo, e você empurra a ameba da culpa para fora de si. É para isso que você tem força. Se você teve tanto ódio para ficar contra você, use-o para destruir as amebas do seu caminho. O ódio foi criado com a função de destruir. Deus não o criou só para machucá-lo ou agredir os outros. Se você não usá-lo como força para ter firmeza, não ficará no seu real. Então, diga-se : "É assim que eu sou" e use o ódio com convicção para destruir as amebas e impedir que os outros abusem de você. Desse modo, o ódio transforma-se em coragem.

De início, por você não aceitar mais o dominador, ele vai continuar a ameaçá-lo, pois como qualquer ameba, ele é um mecanismo automático e desprovido de livre escolha. Se você se mantiver firme, não o aceitando mais, ele pára de ameaçar e você vencerá.

Se você realmente quiser acabar com o dominador interno, terá que enfrentá-lo também nos outros. As pessoas dominadas por este mecanismo tenderão a não gostar de suas atitudes. Elas irão se sentir incomodadas com sua liberdade e tentarão pressioná-lo como de costume. Assumirão o papel de vítimas, procurando fazê-lo sentir-se responsável pelos sentimentos delas. Quero que você se lembre de que o problema é delas, porque você não está na vida para fazer gracinha para *os outros*, não é? Você não pode viver os sentimentos *dos outros*. De que adianta a aprovação, o amor e a consideração dos outros se você não está bem consigo mesmo? Você só pode viver com o que sente no próprio corpo.

Eu posso amar você, curtir esse sentimento e isso ser bom para mim, mas você não me deve nada por isso. Dá para perceber como a gente aprendeu tudo diferente? Aprendemos que temos que amar *os outros,* ser bons para *os outros* e nos empurrarmos para dentro. Na realidade, tudo ocorre de maneira inversa.

Na vida há coisas que fizemos e que não deram certo. Erramos, mas não é preciso sentir culpa. *Não é errado errar*, porque com o erro nós também aprendemos a fazer certo. Agora, com a culpa, nós não aprendemos nada. Às vezes, imaginamos que temos que sofrer para aprender, mas só aprendemos verdadeiramente quando não nos cobramos e culpamos.

Quando *você está do seu lado*, não há mais culpa nem cobrança. O que será que aconteceria na sua vida e com as pessoas a sua volta? Com aqueles que costumam se pendurar em você? Ou com os que costumam ameaçar, chantagear, manipular? Essas pessoas provavelmente diriam: "Puxa, como você é egoísta, só pensa em você".

Na verdade, pessoas desse tipo não pensam em si mesmas, não se consideram, não se cuidam e, por isso, cobram que nós cuidemos delas. Será que você é uma dessas pessoas? Você responsabiliza os outros pelo que faz a si mesmo? Se isso é verdade, é melhor abrir os olhos. As pessoas gostam de oprimir, mas se você não é oprimível, usável, conduzível, manipulável, elas não conseguem nada com você. Isso, em última análise, levará as pessoas a respeitarem você. Também você deixará de ser uma pessoa chata para as outras.

Você já se imaginou livre de toda opressão, podendo se aceitar do jeito que é, não tendo que melhorar ou mudar? Você, livre para fazer o que seu coração mais quer, sem ter que dar satisfações a ninguém. Sinto que isso é viver sem medo.

A vida é uma escolha constante. Você escolhe o que quer e pode largar no momento em que desejar. Ninguém vai puni-lo. Você é o seu juiz, Deus não é o juiz de ninguém. Então faça de suas escolhas uma coisa divina.

Tudo muda a todo instante, esta é a única certeza que temos.

Quando é que você vai acordar? Quando suas melhores oportunidades tiverem passado? Aí não interessa mais, o que interessa é *o agora*, onde você pode estar lúcido do que quer fazer, das decisões que quer tomar. Deixe-se livre para tomar decisões a cada momento.

Ponha a sua atenção no agora.

Você já é livre para escolher. Basta apenas assumir. Escolha aquilo que o realiza, o satisfaça. *Não faça economia de prazer.*

Durante a semana, pergunte-se:

– O que eu quero fazer?

– O que eu gosto?

– O que está mesmo dentro do meu coração? ♥

Dê-se consideração

♥ Não espere a consideração dos outros, pois esta é sempre falha. O importante é ser feliz. Quando você começa a ser autêntico e espontâneo, a princípio os outros podem achá-lo estranho e até você mesmo pode se sentir diferente, mas vai ficar mais verdadeiro. No fim, eles acostumam e então você poderá fazer as coisas mais malucas que todos aceitam.

Ser você mesmo é ficar do seu lado, mesmo que tenha que fazer um esforço contra o ambiente.

Ficar do seu lado sempre dá bom resultado. Ao deixar os "tem quês", sua verdadeira pessoa vem à tona e fica claro para você a sua vocação, seu pique, suas modas, seus anseios mais profundos.

Liberdade é uma realidade da natureza humana, porém ser livre é conquistar a consciência de que esse dom já é seu. Assuma-se.

Eu assumo minha liberdade de escolher... Eu escolho sempre pelo coração. ♥

Terceira Parte

O PODER DE PENSAR

♥ *Você é o único responsável pelo que está se passando em sua vida.* ♥

♥ *Tome posse do que é seu. "Se ligue" em você!* ♥

O fantástico ato de pensar

♥ Nosso tema agora é sobre o maior poder que a raça humana tem: o de construir pensamentos. Vamos estudá-lo de forma simples, mas que possa ser prática e útil para nós.

O ato de pensar – essa capacidade da mente de transformar estímulos energéticos em algo com forma e sentido, de transformar ondas em algo reconhecível, perceptível, ativo – é realmente fantástico.

Imaginar, ou a capacidade "ideoplástica", é nossa habilidade inata de dar forma à energia sentida. Criamos símbolos e os amontoamos em palavras e idéias como um substituto de nossas sensações. Se o homem não tivesse essa capacidade de representar, de pôr símbolos no lugar das sensações, ele não pensaria, não se comunicaria, não teria um sem-número de operações mentais como: raciocínio, memória, inteligência, etc. Os símbolos são formas reduzidas da nossa vivência. Ao dar uma forma para a energia, damos também uma função.

A palavra *árvore* é um símbolo que expressa a experiência de visão, tato, olfato, audição e paladar que temos com aquele ser vegetal, de caule grosso e alto, com muitas folhas, etc.

Ao ouvirmos a palavra *árvore*, nós a decodificamos, ou seja, buscamos em nossa memória as experiências que estão associadas a ela e, então, formamos uma imagem mental dessas experiências. Assim sabemos o que esta palavra significa.

A todas as experiências pelas quais passamos, associamos símbolos, sejam eles gráficos, como as palavras ou sinais de pontuação, ou sejam orais, o som das palavras ou sons musicais.

Na tela da imaginação, podemos compor *idéias*, ou seja, agrupamos palavras que expressem sentidos mais complexos. Muitas vezes, para exprimirmos uma pequena sensação, necessitamos de muitos símbolos. A isto nós chamamos de *pensar*.

Também na tela da imaginação, podemos compor novos conjuntos de imagens ou sons com retalhos de imagens arquivadas na memória e a isto chamamos *imaginar*.

Lógica é o nome dado às regras de criação de idéias.

Bom senso é o nome dado ao guia da lógica. Ele é o senso do bem, do adequado, do mais certo, pois é fruto de nossas experiências em termos de acerto ou erro. ♥

O poder da crença

♥ Tanto pensar como imaginar são habilidades que condensam energia vital. Esta energia chega até nós pela respiração, pelos alimentos, pela terra e até pelos astros. Ela é adicionada às atividades mentais através de uma função mental chamada *poder da crença*. A crença pode ser medida em termos de potência, assim teremos uma crença mais potente ou menos potente. Agora, o tipo de idéia pode ser classificado segundo os seus efeitos em nós que podem ser positivos, neutros ou negativos. Portanto, uma idéia negativa é assim classificada pois, ao pensarmos nela, nos sentimos mal. Porém, podemos crer muito, pouco ou nada nela.

Então poderemos ter: idéias negativas muito, pouco ou nada potentes em termos de energia e também idéias positivas com muita, pouca ou nenhuma potência.

As atividades mentais são variadas, tais como: investigar, analisar, memorizar, descrever, calcular, prever, questionar, duvidar, aceitar, negar, filosofar, imaginar, etc. Assim tendemos sempre a ter um produto dessas operações, um pensamento conclusivo. É a ele que adicionaremos certa energia de crença ou importância. Aí, dependendo da quantidade dessa força adicionada, esse pensamento conclusivo vai nos impressionar. Estará impresso, estampado, com uma clareza proporcional à intensidade da força. Assim, ele se transforma em um pensamento padrão para o nosso comportamento.

Para ter uma idéia mais clara do que estou falando, veja alguns exemplos de pensamentos padrões:

- sou inteligente.
- eu sou bom o suficiente.
- a vida de sucesso não é para mim.
- eu sou capaz de fazer qualquer coisa.

Na verdade, algo só se torna importante quando você coloca sua atenção. E você pode dar importância ao que quiser, porque é você quem *escolhe* o que quer dar importância. O poder de escolha é algo fantástico. ♥

Nossa mente

♥ Você não escolhe com a sua mente total. O que é mente total? A mente total está dividida em duas partes: consciente e inconsciente, ou seja, uma parte mais rasa e outra mais profunda. A mente rasa é a consciente, a lúcida, a que nós percebemos. A outra, é a inconsciente. E como sabemos que esta existe? Sabemos que existe pelas suas manifestações na zona consciente. Por exemplo: há uma série de funções orgânicas que a mente consciente não controla, como o crescimento dos pêlos, os movimentos peristálticos, o desenvolvimento ósseo, etc. Supõe-se, então, que algo controla essas funções e que este controle está no inconsciente.

Na mente consciente, você tem o poder de escolher. O que é escolher? É optar pelo que você quer. Na escolha, subentende-se que há duas ou mais opções.

Você já notou que seu mundo é de escolhas constantes? Por exemplo: agora mesmo você está fazendo uma escolha, que é a de ler, mas também pode *escolher* parar de ler, e prestar atenção no seu corpo ou no ambiente. Não é possível parar de escolher, porque mesmo quando você pára, está fazendo uma escolha. Você está sempre escolhendo o que quer. Há sempre uma nova escolha a cada momento.

Na escolha, é o querer que movimenta a sua atenção, ou seja, ela estará onde você quiser colocá-la. A força que move o foco de atenção é a vontade. Você presta atenção onde quer e movimenta essa atenção de acordo com os seus critérios. A atenção é como um farol que torna visível tudo aquilo que está no lado para o qual ele foi direcionado. Movendo o farol, o que era visível desaparece, fica no inconsciente. Só se está consciente daquilo que se coloca a atenção. Se você colocar seu foco de atenção numa flor, o resto do ambiente estará no inconsciente. Mas, se você mudar o foco para o ambiente, a flor ficará no inconsciente. Isto quer dizer que: você inconscientiza e conscientiza quando quer. E é claro que um estímulo muito forte pode chamar a sua atenção, mas depende do quanto você tem consciência disso. Se você tem consciência, pode escolher manter ou não sua atenção em determinado aspecto e resistir aos estímulos indesejados.

Esse mesmo centro de consciência – a atenção – que focaliza e que tem vontade, tem também o poder de dar fé, de dar importância às coisas. A sua atenção está sempre presente naquilo que você dá importância. Não importa se o objeto observado é bom ou nocivo para você. Quanto mais tempo você o mantém focalizado, mais o objeto observado se torna vivo. O oposto também é real, quanto mais você o ignora, mais rápido ele deixa de existir.

Faça os exercícios a seguir. Eles são a base do autoconhecimento. Aprenda-os e pratique-os exaustivamente.

a) Faça uma lista das coisas mais importantes para você e que normalmente têm aparecido no seu processo de conscientização; aquelas para as quais o seu foco de atenção está voltado.

Por exemplo:

- *é importante ser gentil com as pessoas.*
- *é importante controlar a raiva.*
- *é importante atender a solicitação dos outros.*

O importante é:

1)...
2)...
3)...
4)...
5)...
6)...
7)...
8)...
9)...
10)...

b) Agora olhe para cada item da sua lista e responda completando a frase:

Quando eu dou importância a isto, tenho como consequência...

1)...
2)...
3)...
4)...
5)...
6)...
7)...
8)...
9)...
10)...

c) Agora novamente para cada item da sua lista, pergunte-se:

– Qual é a minha vantagem?

1)...

2)..
3)..
4)..
5)..
6)..
7)..
8)..
9)..
10)..

– *Qual é a minha desvantagem?*

1)..
2)..
3)..
4)..
5)..
6)..
7)..
8)..
9)..
10)..

Percebe que a importância dada vem dos critérios que você adotou como necessários para você? Tudo é uma escolha e esses critérios estão aí porque você os preferiu. ♥

Subconsciente

♥ Então, como já vimos, "dar importância" é colocar atenção em algo com vontade e quando isso ocorre, o foco onde você pôs sua atenção o impressiona, fica estampado em você, numa região chamada *subconsciente*. Esta região é uma portinha entre o consciente e o inconsciente. Cada vez que você dá importância a algo, você cria um pensamento padrão que automaticamente se estampa no subconsciente. O subconsciente tem a habilidade de materializar, de tornar sensível, perceptível pelos seus sentidos, aquilo que você estampou nele. Você, consciente, é que escolhe. O subconsciente não escolhe, só aceita o que você escolheu. A sua parte consciente tem a noção do tempo, mas para o subconsciente é sempre o tempo presente que conta. Para ele, não importa a época em que você estabeleceu o padrão de pensamento, o que importa é que *hoje* você ainda valida o mesmo pensamento. Para você, consciente, existe uma noção de espaço (aqui, lá), mas para o subconsciente é sempre o aqui. Por isso, costumamos dizer que o poder de mudança está sempre no *aqui e agora*.

Se isto é verdade, então, não existe nenhum monstrinho dominando você. Um dia você fez uma escolha, boa ou má, e esta ficou estampada, registrada no seu subconsciente, porque você lhe deu uma certa força de crédito. E aí o subconsciente executa os programas automaticamente. Temos um programa para tudo. Lembra-se quando você aprendeu a dirigir um carro e foi, aos poucos, percebendo o modo de usar o breque, o câmbio e todo o mecanismo. A prática constante fez com que esta aprendizagem se estampasse no subconsciente. Vencida esta etapa, dirigir se tornou fácil e tranqüilo. Hoje você pode estar conversando distraidamente com alguém ao seu lado no carro, mas seus sentidos estão atentos e seu corpo está alerta, fazendo tudo mecanicamente. Às vezes, você está aéreo, com o pensamento longe, dirige três ou quatro quarteirões e quando se dá conta, seu carro está parado direitinho no farol, esperando a velhinha passar sem atropelá-la, não é? Você já experimentou algo parecido?

Toda a nossa aprendizagem funciona por um critério de:

- ensaio e erro.

- impressão emocional ou trauma.
- pensamento mágico.

O primeiro caso ocorre quando queremos aprender algo e vamos usar de insistência até que a experiência fique estampada, como no exemplo de aprender a dirigir. No segundo caso, a aprendizagem acontece quando a impressão é carregada de uma forte energia emocional. Por exemplo, a criança quebra um vaso e a mãe grita com ela e a chama de inútil, desastrada. Se a carga emocional da mãe foi excessiva, a criança grava que é inútil e leva esse padrão para o resto da vida. No terceiro caso, por exemplo, uma pessoa está pensando em como revidar a agressão que sofreu e, de repente, leva um tombo, e aí passa a associar tombo com revide e a considerar o revide, ou qualquer atitude mais agressiva, ou mesmo um "não", como sinônimo de dor física.

Em suma, você faz um pensamento padrão de tudo o que você vive. Em tudo você toma uma posição, tira conclusões, faz uma síntese. A mente consciente gosta de sínteses, adora um posicionamento de certo ou errado, válido ou não, bom ou mau e aí o computador, que é o subconsciente, materializa tudo e cria situações *em* você e *fora* de você seguindo fielmente os programas que você fixou. Portanto, *você é o único responsável pelo que está se passando em sua vida.* ♥

Livre-arbítrio

♥ Você e eu, conscientes ou não, aceitando ou não, somos cem por cento responsáveis pelo que acontece conosco. Mas sem culpa, hein! Porque não é de culpa que estou falando, mas sim do poder natural que temos para criar respostas em nossas vidas, ou de provocarmos reações em nosso mundo, ou seja, criarmos nosso próprio *destino*.

Esse poder é o livre-arbítrio, a capacidade de deixar-se impressionar ou não por determinados fenômenos. É o poder de conduzir nossa vida para um lado ou para outro, o poder para provocar nossa existência de um jeito ou de outro e de mudá-la quando bem entender. Enfim, é ter o comando do barco em nossas mãos, é ter o poder de escrever os fatos e de provocar as experiências que vivemos. É, todos nós temos esse poder. O que varia é o grau de consciência que cada um tem dele, o quanto cada um acredita ser portador deste poder. Por exemplo, para ter um companheiro, você estabeleceu alguns critérios como: "tem que" ser bom, honesto, trabalhador. Aí você conhece uma pessoa que não preenche todos esses critérios estabelecidos, mas é alguém de quem você gosta muito e não quer perder. O poder de escolha é seu, você pode escolher entre ficar rígido nos seus critérios, ou aceitar a pessoa como ela é, ou seja, mudar os seus padrões. É sempre você o responsável por suas escolhas. Mesmo porque o fato de aparecer uma pessoa, em sua vida, que não preenche os seus severos pré-requisitos é conseqüência do tipo de pensamento padrão que você assumiu. Talvez neste caso você se considere uma pessoa indigna de alguém melhor. O "tem que" exige algo, mas os seus programas fazem o contrário.

Para exercer a liberdade de tornar exeqüível nosso poder de escolha, vamos ter que matar a vítima em nós. A vítima existe, porque há sempre um juiz / dominador nos cobrando. Você já entendeu essa jogada, não é?

Mas para entender essa estória de responsabilidade em criar a própria vida, é importante questionar: por que a minha vida corre de um jeito e a do outro é diferente? Por que certas coisas existem na minha vida e na do outro não? Por que uns têm sucesso e outros, fracasso? Como a natureza funciona? Analisar a questão do sucesso e do fracasso é muito importante, senão vamos acreditar que a natureza desprivilegia alguns e beneficia outros aleatoriamente. Deve haver alguns mecanismos por trás disso tudo, e nós vamos vasculhar.

Peço primeiro para ter um pouco de paciência e deixar a vítima de lado. Para entender o processo, vamos fazer o exercício abaixo:

a) Escreva falando sobre si mesmo, descrevendo como você está agora na sua vida. Comece a frase com "Eu me"... e coloque os verbos que aparecerem, na voz reflexiva.

Por exemplo:

- *eu me enraiveço.*
- *eu me alegro.*
- *eu me coloco obstáculos.*
- *eu me impeço de agir.*
- *eu me faço impotente diante de...*

Agora, observando você, construa suas frases:

***Eu me**...*

....
....
....
....
....
....
....
....
....
....

*b) Pegue o que escreveu e pense em "**como**" você faz isso...*

*Por exemplo: – **Eu me** amedronto, pois fantasio possíveis catástrofes para o futuro e creio que elas serão reais...*

*c) Após perceber o "como", aprofunde mais o seu conhecimento, respondendo "**quando**" você faz tal coisa...*

Eu me...
Como?...
Quando?...

Como foi a experiência do "Eu me" e do "Como"? O que você sentiu? O que foi possível notar?

Percebeu que é você quem constrói essas idéias na cabeça e com isso cria uma situação fácil ou difícil em sua vida?

Freqüentemente, nós temos o hábito de responsabilizar alguém ou alguma coisa, quando não queremos assumir a responsabilidade por algo que fizemos e que não deu certo. Quantas vezes já ouvimos frases do tipo: "Foi porque Deus quis", "Foi o meu inconsciente que fez", ou "Não deu certo porque ficaram com inveja." É o mesmo que afirmar que o "nada" é que faz algo. Gostamos mesmo é de culpar os outros pelo que acontece conosco.

Mas não é o "nada", ou os outros, ou mesmo Deus, que fazem as coisas e sim, nós mesmos que fazemos.

Normalmente as pessoas resistem muito em aceitar esta idéia. Elas se assustam com o poder que a vida lhes deu. Outras não gostam de perder o *status* de vítima da tragédia e preferem continuar infantis a começar a se tornar um adulto e reconhecer que é a única pessoa responsável por si mesma.

Se o mundo não funcionasse assim, qual seria a necessidade de se ter livre-arbítrio? Para que ter a liberdade de escolher, de provocar experiências e de receber o reflexo destas tentativas, se a capacidade não fosse do indivíduo, mas dos outros ou das circunstâncias? ♥

Resistência e conflitos

♥ Criamos situações conflitivas para nós mesmos, devido

aos pensamentos padrões que alimentamos para nos defender do que nos causa medo.

Para ilustrar melhor o assunto, contarei a estória de um homem que tinha a seguinte crença: "Ser gordo e feio me assegura que não cairei na tentação de ter uma relação extraconjugal, o que moralmente repugno, apesar de sentir uma grande necessidade de viver essa experiência. Também não quero aceitar que penso dessa forma, não quero ficar consciente disso e, portanto, inconscientizo, "esqueço" o assunto, procurando me sentir seguro."

O subconsciente deste homem assume suas convicções como verdadeiras e executa esse programa. Resultado: o homem engorda. Por outro lado, chega o dia em que este homem quer fortemente tornar-se magro. Ele faz várias tentativas, mas tudo em vão. Neste momento é que surge o conflito. Ele quer emagrecer, mas "se fez esquecer" que criou resistências ao emagrecimento. Este homem vai brigar muito consigo mesmo e continuará gordo.

Da mesma forma, hoje você pode querer que determinada situação não exista mais em sua vida, contudo se não descobrir o programa em seu subconsciente que provoca essa situação, ela continuará sendo reproduzida eternamente. É a isto que chamo de carma. *Suas velhas escolhas não desaparecerão apenas porque você tenta combatê-las. Elas só desaparecem, quando você descobre "Como" as produziu, ou quando uma situação qualquer o leva a criar pensamentos novos, mais positivos que os antigos.* O que conta é o que você realmente acredita como verdadeiro *agora*.

Quando você evita esse "Como", assumindo uma postura de vítima das situações, a vida amplia aquilo que você não quer ver, não para contrariá-lo, mas para ajudá-lo. Afinal é você que quer se livrar disto. Por exemplo: você não quer ver o seu autoritarismo, embora você o tenha criado e inconscientizado, por isso, a vida o leva a casar-se com uma pessoa autoritária e, pior, ela só é assim com você.

Agora se você questiona: como eu faço tal coisa? Como eu provoco isto? Você assume o poder que a natureza lhe deu, de estar criando todas as situações em sua vida, o que lhe dará uma imensa liberdade de opção e de mudança. Por isso, se quer mesmo saber como você funciona, mexa nos seus pensamentos padrões. Você vai ver o processo, o mecanismo da *coisa*. Se eu mostrar para você *como* o motor de um carro funciona, talvez você consiga consertá-lo, mas se eu explicar *por que* o carro anda, com certeza, você não o consertará.

O "Como" o leva à consciência do seu poder. O *"Como"* é útil, importante, e mostra o lado prático da vida, enquanto que o *"por que"* é só uma intelectualização que não leva a nada, procurando sempre a causa que leva a outra causa e assim por diante. Não é pelo intelecto que vamos nos conhecer melhor, mas pela prática. Por exemplo: Se pergunto *por que* eu me enraiveço? A resposta pode ser: porque sou burro, não sei lidar com as situações. E *por que* sou burro? Porque Deus me fez assim, ou porque não presto atenção às coisas, porque sou desligado e, desse modo, não se chega a nada. Agora se questiono: *Como* eu me enraiveço? A resposta pode ser: alimento ilusões sobre os outros e quando eles fazem coisas que eu não espero que façam, sinto-me desconsiderado e ameaçado na minha integridade; assim a raiva é produzida como um agente de defesa. Dessa forma, se eu não quero mais ter raiva, basta que pare de ter expectativas inadequadas em relação aos outros.

Que mais você pôde observar no "Eu me"? Você ficou desconfortável, sentiu dificuldades? Então assuma responsabilidade por elas e diga: "Eu me dificulto a entender o exercício". *Como?* "Muitas vezes acreditando na dificuldade, fazendo-me de fraco para não me arriscar e não passar pela humilhação de errar, ou ainda depreciando o exercício para desmotivar-me". Lembremos que o seu subconsciente está aqui registrando as suas atitudes, na forma de programas que criarão suas vivências futuras.

E cada um se defende como sabe. Nós sempre deixamos de fazer determinada coisa, por considerarmos que ela pode nos trazer prejuízos, e julgamos um sério prejuízo errar e ser malvisto pelos outros. Neste caso é a nossa vaidade que está prevalecendo, o que equivale dizer que estamos dando aos outros o poder de serem os nossos juízes.

Mas não há vítimas, não. Eu era pateticamente estúpido quando acreditava na existência de vítimas. Culpava sempre a natureza, o "nada". Era sempre o "nada" que agia e não eu. Eu via monstros me perseguindo e ficava acuado, encurralado num beco sem saída, impotente diante da vida. Aí resolvi a não me ver como uma vítima e passei a perguntar-me: "Como eu faço as coisas serem do modo que são?" Comecei, assim, a ganhar a consciência do poder em mim e fui entendendo tudo de uma maneira mais positiva. Pude mudar o que criava distúrbios e provoquei mais prosperidade em minha vida.

O que quero dizer com isso é que você pode alimentar, durante anos, um determinado padrão de pensamento e com isso bloquear algumas áreas da sua vida, ou pode optar por desbloqueá-las agora, já que o poder de escolha é seu.

Nós só crescemos na vida quando começamos a questionar em termos de – *Como eu me...* Esta é uma atitude básica para termos poder e consciência sobre nós mesmos, sobre nossas vidas e no final concluirmos que as condições para realizar nossos sonhos de felicidade sempre estão em nossas mãos. ♥

Cada pensamento, uma sensação

♥ Repare que cada atitude mental provoca uma sensação em seu organismo. Experimente fazer uma afirmação do tipo: Eu sou infeliz!

Afirme algumas vezes esta frase e perceba as reações do seu corpo. Note que uma afirmação negativa produz sensações desagradáveis em você. Assim são criadas todas as nossas sensações.

Cada sensação que temos é provocada por uma atitude mental. Portanto, quando você quiser saber a causa de alguma sensação que se manifesta em você, precisa verificar suas atitudes mentais.

Para exemplificar, vamos falar mais um pouco sobre a raiva. Quando você sente raiva, com certeza, teve atitudes mentais que a produziram e a solução é tentar identificá-las. De que forma? Perguntando-se o *"Como eu me..."* (como eu me enraiveço, como eu me entristeço, como eu me magôo, etc.) já tão citado neste livro. Ao responder, você poderá perceber que: "Eu me enraiveço, assumindo como ameaçador um determinado fato." Torne a se perguntar: *"Como"* eu considero ameaçador um determinado fato?

E assim, sucessivamente, vá se perguntando até que fique claro para você, quais foram seus pensamentos que geraram a raiva. Talvez você chegue a uma conclusão final de que acredita, por exemplo, "que todos deveriam tratá-lo bem" e quando isso não acontece, a situação surge como ameaçadora de sua paz, acionando um impulso de defesa – a raiva.

Neste caso, se você não quiser mais sentir raiva, precisará trabalhar a idéia básica de que "Todos deveriam tratá-lo bem", aceitando que isto não é possível. Precisará mudar essa atitude mental para "Todos têm o direito de sentir e agir como quiserem". O resultado desse trabalho é: "quando aceito que os outros são livres para não gostarem de mim, permaneço calmo."

Quando você questiona o que provocou o sentimento de raiva, vai perceber que ela apareceu em decorrência do que você pensou, do tipo de pensamento que você deu crédito.

A consciência sempre esteve presente, você já nasceu com ela e, portanto, você tem o poder de *escolher* o que quer pensar e através de seus pensamentos, criar todas as situações pelas quais passa em sua vida.

Faça uma rápida reflexão e observe como está sua vida agora. Em que aspectos ela está indo bem ou mal? Onde a coisa deslancha e onde fica emperrada? Saiba que nada disso acontece por acaso. Tudo tem uma lógica. Tudo se origina em seus pensamentos padrões. E se você pretende mudar algumas coisas em sua vida, comece a se questionar:

- com que atitude mental, eu atraí tal situação na minha vida?
- com que atitude mental, eu atraí esse tipo de pessoa (marido, patrão, empregado, filho, etc.) na minha vida?

Este exercício o ajudará a identificar suas crenças que merecem mudanças:

Escolha um dos "Eu me...", que lhe provoque desconforto de qualquer tipo.

Procure saber qual é a crença ou pensamento padrão que você deve mudar para não mais provocar essa sensação desagradável.

Exercite o seu poder com consciência, compreendendo que enquanto você não mudar, nada mudará.

Com relação à vida, só há duas situações que não se pode mudar: a primeira, é que vamos viver para sempre e a segunda, é que sempre vamos escolher.

A morte física não é o fim de tudo, continuaremos vivendo em outra dimensão. E se seguiremos vivendo, prosseguiremos com nossas escolhas, experenciando as respectivas conseqüências. Só você pode fazer as suas opções, portanto, só depende de você ter uma vida abundante e próspera em todos os aspectos.

Os pensamentos padrões que você estabeleceu,

estão relacionados com:

- a importância que você ainda dá a determinada idéia e quanto deixa que ela o impressione.
- o quanto você considera a opinião dos outros.

A excessiva importância que damos à opinião e à consideração dos outros, retrata a irresponsabilidade, quase infantil, que alimentamos quando acreditamos que todos devem assumir nossas necessidades.

Na verdade, cabe a cada um satisfazer as próprias necessidades. Talvez você ache que os outros devam tomar conta de você, falar com jeito com você, porque é cheio de "não me toques". E quando os outros não fazem o que você quer, fica magoado, decepcionado, culpando-os pelo seu sofrimento.

Agora se pensar bem, o outro não deve ser culpado de nada. Por quê? Porque é você mesmo que se decepciona sozinho, imagina que as coisas têm que ser do jeito que você estabeleceu, ignorando o direito das pessoas serem o que são, e faz com isso um dramalhão onde você é a vítima.

E vítima tem que sofrer e ficar insatisfeita. Essas atitudes são de arrogância ou mimo. Arrogância é uma ilusão, é imaginar algo, é fantasiar sem usar o bom senso e achar que há algo errado com a realidade. É por isso que o arrogante está sempre se queixando de tudo, sofrendo de insatisfação constante e se sentindo contrariado.

Nós temos uma cabeça descontrolada, somos iguais às crianças. Usamos um aparelho sofisticado – a mente – com o qual não aprendemos a lidar com perfeição, sem nos causar prejuízo.

E cometer erros é natural para quem está aprendendo a lidar com tudo o que é novo. Está tudo certo, da forma como está. Aos poucos, vamos lidando melhor com o aparelho mental, descobrindo os seus mecanismos, anulando as ilusões e encarando as nossas verdades.

É só questão de querer olhar dentro de si, de se estudar e de se observar. ♥

Continuando a se descobrir

♥ Quando você diz que tem um problema, é porque está pensando dificultosamente a respeito de algo que por fim acaba se tornando um problema mesmo. Tudo acontece como você acredita. Se você acredita que existam problemas, passará a enxergar certas situações de forma problemática. O contrário também é verdadeiro: quando você pensa que tudo é fácil na sua vida e que não há obstáculos, tudo acontece de modo fácil, porque este é o seu credo.

Muitas pessoas insistem em continuar acreditando que problemas e dificuldades existem independentemente da vontade delas e até acham absurdo "culpá-las" por tais situações. Elas também se acham fracas e impotentes, pois se deixaram hipnotizar por tais crenças. Espero que este não seja o seu caso, pois, se assim for, quero lembrá-lo de que está escolhendo o caminho da aprendizagem e evolução através do sofrimento e não da inteligência.

Considero importante prestar atenção na ligação que existe entre: pensamento, crença e os fatos da vida. Eu noto que nossas crenças não só criam nossas experiências internas, mas também o modo como as situações se formam em volta de nós. Mas como este tema é vasto, pretendo desenvolvê-lo no meu próximo livro. Por hora, continuemos a nos descobrir.

Mesmo com tudo o que já argumentamos, você pode ainda questionar: "E *os outros*? Como *eu* fico, quando eles *me* cobram? Quando se magoam com o que *eu faço*?" Respondendo a isto, quero que pense bem: se você está começando a tomar consciência de que é responsável por si mesmo, perceba que os outros são responsáveis por eles também. Se você resolveu mudar o seu modo de ser e com essa mudança as pessoas *se* chatearam, o problema é delas e não, seu. As pessoas em geral são egoístas e querem que mudemos nossa maneira de ser para satisfazê-las. Assim como você, muitas vezes, elas estão fazendo o jogo do mimado, querendo que cuidemos das responsabilidades delas. Quando você se sente culpado com a cobrança, responsabilizando-se pelo fato do outro ter *se* magoado, você está assumindo um poder que não é seu. Está, literalmente, se "metendo" na vida dos outros. ♥

Inversão de poder

♥ É importante reconhecer até onde vão os seus limites e poderes, bem como, onde começam e terminam os dos outros. Dar ao outro o poder de decisão sobre seus anseios e suas necessidades na vida é perder sua capacidade natural de conduzi-la, porque sua vida corre sob a sua responsabilidade e não pela do outro. Damos o nosso poder quando achamos que é obrigação dos outros se responsabilizarem por nossas necessidades. Normalmente, queremos que nos amem, nos aceitem como somos, nos respeitem, nos aprovem sempre, nos apóiem, nos valorizem, etc. Tudo isto, na verdade, é responsabilidade nossa. Eu preciso do meu amor vinte e quatro horas por dia, e você precisa do seu. É claro que, se eu tiver a consideração das pessoas, é muito bom, porém a minha própria é imprescindível. Sem a dos outros, ainda posso viver relativamente bem, mas sem a autoconsideração, eu me enterro em depressões.

Quando esperamos que os outros se responsabilizem por nós, passamos a nos sentir responsáveis por eles. É aí que acontece a inversão de poder: eu assumo as suas necessidades, e você, as minhas. É uma verdadeira neurose.

Será que tentando ser bonzinho com os outros, fazendo tudo o que eles querem sem nunca dizer não, você não está esperando ser aceito por eles? Quando você quer que todo mundo o aceite, quando quer ser maravilhoso aos olhos dos outros, você se arrisca a ser magoado, pois as pessoas, dentro de seus limites naturais, não têm condições de aceitá-lo integralmente. Mas você pode não concordar com isso e persistir num determinado padrão de comportamento para ter a aceitação deles, acabando por se ferir ainda mais e responsabilizando-os por isso. Será que essa não é a história dramática de sua infância? Lembra-se deste tipo de pensamento: "preciso ser bonzinho com a mamãe, para ter a consideração dela, mas se ela não fizer o que quero, vou odiá-la por isso". Porém, quando você aceita que o outro é do jeito que é e assume a necessidade de autoconsideração, você fica bem com você e com o mundo.

É importante notar que dentro dessa inversão de poderes, nós invadimos e somos invadidos com freqüência. Quando quero que você cuide de mim, na realidade estou autorizando tudo o que você fizer em minha vida. Além de permitir que sua energia me invada causando os famosos sintomas das "cargas pesadas", acabo por ensinar as pessoas a se intrometerem em minha vida. O mesmo acontece quando assumo a responsabilidade pela vida do outro, ou seja, também acabo me intrometendo na vida alheia, acostumando as pessoas a me explorarem e, mais grave ainda, incentivo-as a não aprenderem a resolver suas questões por si mesmas.

Afinal de contas, *você é realmente importante só para você.* Algumas pessoas podem considerá-lo importante, como os seus filhos, por exemplo, mas lembre-se de que todo mundo é substituível. Só você é insubstituível para si mesmo. Portanto, aprenda já que quem deve se considerar de forma positiva é única e exclusivamente VOCÊ.

Não há nada de mais em considerar certas pessoas importantes, nem dar consideração aos outros, por favor, tente pensar de forma flexível. O que quero dizer é que a fonte de suas necessidades está em você e não nos outros. Então deixe de usar os outros como se fossem o centro vital de sua existência e *centre-se em você.* ♥

"Se ligue" em você

♥ Com a prática freqüente dos exercícios sugeridos neste livro, você vai começar a se emancipar e a seguir o seu próprio roteiro, mas se você esperar que todo mundo o aceite, vai se frustrar. É o mesmo que dizer: os outros estão se incomodando comigo, e eu estou me incomodando com o incômodo deles. Pense que sempre terá quem o compreenda e, talvez, os que não o compreendem agora, mais tarde, o compreenderão. Isto significa que uns vão entender e outros não, porque não têm capacidade de entender. Na verdade, você é que precisa entender que eles não conseguem entender. Com isso, você se poupa de qualquer aborrecimento. Quando você se aceita e aceita as pessoas como elas são, você só se causa bem-estar. Ao mesmo tempo, aprende a se movimentar neste universo novo que está descobrindo. Ou você quer esperar que o mundo mude para você ficar confortável?

Você costuma pensar que os outros são uma ameaça para você? Será que o outro é ameaçador por que você se vê pequeno, coitado, bonzinho e por isso abusam de você? Quando você tem esse tipo de pensamento, está se fazendo de fraco, e os outros conquistam um espaço enorme dentro de você. Eles só ocupam esse espaço, quando você se diminui.

Sentir-se pequeno é uma defesa contra o que lhe parece ameaçador e quando há uma sensação de ameaça, há o sentimento de raiva, porque você vai querer se defender. E na ligação de raiva / ameaça / ponto fraco, estabelece-se o complexo de inferioridade.

O que é complexo de inferioridade? É sentir-se pequeno, incapaz, coitado. E você **se** inferioriza, quando quer ser aquilo que não é. Portanto, aceite-se e tudo vai ficar em ordem.

Em algum momento da nossa vida, aprendemos que ter amor e sucesso nas diferentes áreas de atividades humanas pode representar perigos e ameaças. Por isso, como defesa, optamos em ficar quietinhos no nosso canto, levando uma vida pobre em ideais e realizações. Esses padrões ficam fortes em nós, muito mais fortes que a nossa capacidade de prosperar. A vida não impõe a pobreza a ninguém. Já que fomos nós que estabelecemos os padrões, tanto melhor, pois assim temos o poder de mudá-los, não é? Na verdade, tudo é reflexo dos nossos pensamentos e estes podem ser modificados no momento que quisermos, não importa há quanto tempo eles estão dentro de nós. *O poder de mudá-los está no momento presente, no agora.*

É interessante dizer que não teremos que pagar nenhum carma, pois temos o poder de mudá-lo. As crenças, ou os padrões de pensamento que estão no seu consciente gerando problemas, geram seu destino. Você pode decidir *agora* não mais dar importância a elas, substituindo-as por crenças nutritivas para sua vida. Nesse momento, você começa a modificar-se, e o programa até então estabelecido em seu subconsciente também se transforma.

A minha sugestão é que você se observe, que preste atenção nos seus padrões de pensamentos atuais.

Faça a observação do *"como..."* ("como eu me..." "como provoco tal coisa?") durante as próximas semanas, trabalhando com um aspecto seu de cada vez e você achará as respostas. Não se force, deixe a resposta chegar em você, e esteja inteiro na observação. Deixe de lado o vitimismo. Deixe de lado a opinião dos outros.

Assumir a responsabilidade sobre a sua vida é assumir toda a liberdade que a vida já lhe deu. Não divida essa habilidade natural com ninguém. Os outros não podem sentir por você nem saber as coisas por você.

Ninguém manda na sua vida. E ninguém pode interferir em seu mundo interior a menos que você o permita. E ninguém poderá fazer o seu trabalho evolutivo.

Tome posse do que é seu!

"Se ligue" em você! ♥